UNIVERSALE
ECONOMICA
FELTRINELLI / CLASSICI

LEWIS CARROLL
Alice nel paese delle meraviglie

A cura di Luigi Lunari

Testo originale a fronte

Titolo dell'opera originale
ALICE'S ADVENTURES IN WONDERLAND

Traduzione dall'inglese di
LUIGI LUNARI

© Giangiacomo Feltrinelli Editore Milano
Prima edizione nell'"Universale Economica" – I CLASSICI marzo 1993
Prima edizione (in nuova traduzione) giugno 2013
Decima edizione marzo 2023

Stampa Elcograf S.p.a. – Stabilimento di Cles (TN)

www.feltrinellieditore.it
Libri in uscita, interviste, reading,
commenti e percorsi di lettura.
Aggiornamenti quotidiani

IL RAZZISMO
È UNA
BRUTTA STORIA.
razzismobruttastoria.net

Prefazione

di Luigi Lunari

Una vita tranquilla

Non particolarmente ricca di eventi esteriori fu la vita di Charles Lutwidge Dodgson, noto al secolo con lo pseudonimo di Lewis Carroll. Nato il 27 gennaio del 1832, primo maschio degli undici figli (quattro maschi e sette femmine) del reverendo Charles Dodgson e di Frances Jane Lutwidge, sua cugina di primo grado. Ambedue le famiglie erano di origine irlandese; i Dodgson, in particolare, avevano una spiccata predilezione per la carriera ecclesiastica, e – al pari dei Lutwidge – conservarono l'abitudine di dare il nome Charles ai primogeniti di ciascuna generazione. Per cui il "nostro" Charles si accompagna ad altri omonimi, per almeno quattro generazioni a salire.

La sua educazione – come spesso nelle famiglie di un dato rango – ha luogo in un primo tempo tra le mura domestiche, con l'assistenza di un precettore, e prosegue poi in una più che rispettabile Rugby School e infine nel Christ Church College di Oxford, di cui suo padre era direttore. L'esperienza scolastica di Charles è del tutto negativa: egli soffre di situazioni – che sembrano in qualche misura anticipare i turbamenti del giovane Törless – cui egli stesso alluderà con l'espressione di "disturbi notturni", di natura non precisata, ma forse a sfondo sessuale. Nel 1851 (anno del suo ingresso a Oxford e della morte di sua madre) ha già ampiamente manifestato un grande talento, in partico-

lare per le matematiche. Conclude gli studi con il titolo di Bachelor of Arts nel 1854, ma già la scuola gli ha offerto un posto fisso nella struttura. L'offerta comporta peraltro l'accesso a una carriera ecclesiastica, cui Charles si sottometterà nel 1861 facendosi diacono, senza che la cosa abbia avuto il minimo riflesso nella sua vita. Dal 1854 insegna matematica e geometria, mantenendo la cattedra fino al 1881, e abbandonando poi l'insegnamento, salvo brevi parentesi in due scuole femminili, dopo il 1886, ove tiene dei corsi di logica.

Pari all'inesistente carriera ecclesiastica è la sua carriera accademica, nella quale non supera il modesto stadio di Master and Tutor, ovvero di assistente degli studenti. Del resto – per quanto scrupoloso nell'adempimento dei suoi compiti – C.L.D. è un insegnante apatico, poco comunicativo, privo di slanci e di lampi, che entrando in classe lascia fuori della porta i suoi vivaci e fantasiosi interessi per la materia che pur si dispone a insegnare. Si dedica nel frattempo alla scrittura, sia nell'ambito dei suoi interessi per la logica formale, sia nell'ambito dell'invenzione narrativa e poetica. Ma anche qui con una sorta di ritrosia apatica, che verosimilmente nasconde al prossimo – quasi con pudicizia – un suo vivo impegno interiore. Se relativamente ai suoi scritti scientifici egli si avvale della facoltà di non mostrare se stesso, protetto in questo dall'oggettività della materia, certo più "autobiografico" e rivelatore è il capitolo delle sue invenzioni letterarie, che grazie alla ritrosia di cui abbiamo fatto cenno, in un continuo mostrarsi e non mostrarsi, dire e non dire, o addirittura "essere o non essere", fornisce inesauribile pastura a psicologi e psicometri. Forse il capitolo più sereno e spensierato della sua attività letteraria fu quello in cui componeva raccontini e poesiole per le casalinghe e parrocchiali rivistine in uso a quei tempi, con titoli tipo "La cometa", "La Stella", "Il bocciolo di rosa", "Il parapioggia della parrocchia". È probabilmente in quest'ambito, e certamente in questo spirito, che nel 1856 inventa il nome di Lewis Carroll: forse un ultimo, liberatorio espediente per trincerare e schermare se stesso.

Molto tempo e fatiche dedica alla composizione di un suo ambizioso romanzo, *Sylvie and Bruno*, in cui egli fonde due raccontini di molti anni prima – l'uno realistico e l'altro di immaginistica irrealtà – in un racconto su duplice binario, quasi una "convergenza parallela", se posso usare un'espressione che farebbe inorridire il suo rigoroso animo euclideo. Romanzo che – uscito in due volumi, nel 1879 e 1883 – non suscitò nessun particolare interesse, anche perché del tutto privo di quelle qualità d'umorismo e di leggerezza del già celebre autore di *Alice*. Questo, almeno, a detta di chi lo ha letto: tra i quali – *confiteor* – non figura il sottoscritto.

Per il resto, nulla di nuovo su nessun fronte: al di là dei suoi spostamenti a Londra (dove ama molto andare a teatro), non si conoscono suoi viaggi. Non si sposò mai, non ebbe rapporti d'amorosi sensi con nessun essere umano del proprio o d'altro sesso, i suoi ombrosi silenzi sono – come già abbiamo detto – un invitante "paese delle meraviglie" per gli scandagliatori di quel grande guazzabuglio che è il cuore umano.

Lewis Carroll muore il 14 gennaio 1898 a Guilford, nel Surrey, a causa di una polmonite, nella sua casa "Il castagno", dove si era trasferito poco dopo la morte del padre nel 1868, e fu sepolto nel locale cimitero assieme a un fratello e a cinque sorelle.

Tre approcci sono utili a definirne, o perlomeno a illustrarne la personalità: l'interesse per la logica, la passione per la fotografia, la sottile ma evidente – pur se innocente – pedofilia.

La logica formale e il suo *fall out ludico*

La passione per la logica, formale e simbolica, è provata dai libri pubblicati tra il 1879 e il 1894, tra i quali si citano *Euclide e i suoi rivali moderni* (*Euclid and his Modern Rivals*) e *La logica simbolica* (*Symbolic Logic*). Da qualche parte trovo che questi studi, e in particolare certe loro lam-

peggianti illuminazioni, farebbero di Lewis Carroll addirittura un antesignano di Alan Turing. Il riferimento è del tutto arbitrario e contraddittorio, ove si tien conto di quella sua particolare ritrosia nell'esporsi: così come si annoiava a far lezione, così come poco a suo agio si trovava nel mondo ufficiale degli adulti, altrettanto incerto è il suo approccio a un rigoroso linguaggio e a una stretta metodologia scientifici. Il gusto per la deformazione ironica lo rivela anche qui, ad esempio in quell'*Euclide e i suoi rivali moderni* (1879) dove il tema delle geometrie non-euclidee è discusso in un processo davanti a Minosse, che sentenzia poi mandando gli anti-euclidei all'inferno. Si tratta forse della sua opera più interessante in materia, ma egli è pur sempre contemporaneo di Bernhard Riemann (1826-1866), e da un eventuale confronto uscirebbe certo malconcio.

In realtà, il suo indubbio talento si sperde (o si esalta) in piccoli giochi, anche geniali, che più che un precursore di Turing ne farebbero l'ideale redattore capo di una moderna "Settimana enigmistica". Dalla potenziale montagna del suo sapere, Carroll non trae che i topolini, sia pure affascinanti, di questo o quel gioco di parole, di un acronimo, di un'analogia speculare. Destinatari sembrano non essere il mondo accademico e i logici ufficiali, *cucullati subtili et metaphisici*, quanto piuttosto il mondo innocente dell'infanzia che egli tiene dentro di sé, e i bambini (o le bambine) con cui si trova a suo pieno agio: e così si veda per *Il gioco della logica* (*The Game of Logic*), dedicato a una bambina, o per *Una favola aggrovigliata* (*A Tangled Tale*), o forse anche per *Quel che disse la tartaruga ad Achille* (*What the Tortoise Said to Achilles*).

Già il suo pseudonimo – Lewis Carroll – è un'inversione dei suoi nomi di battesimo, dove Lewis parte da Lutwidge, letto "alla normanna" come Louis, e Carroll arriva da Charles tramite il latino Carolus. Più complicati e divertenti i nomi delle tre sorelline Liddell, le carissime amiche di cui diremo più avanti: Elsie è la pronuncia inglese delle due iniziali di Lorina Charlotte (el-si), Lacie è l'evidente anagramma di Alice, Tillie è un diminutivo da Matilde, co-

me Edith veniva chiamata in famiglia. Brillanti giochi di parole sono le dediche in forma di acrostico sui libri che Carroll regalava ai suoi piccoli amici preferiti. Derivazioni umoristiche da dati reali sono i nomi dei personaggi di *Alice* (tutte persone che Alice conosceva e frequentava), dove l'Anatra Duck è il reverendo Duckworth, il Lorichetto Lory è Lorina Lidell, sorella maggiore di Alice, e il Dodo è Lewis Carroll in persona, colto per scherzo in quella balbuzie che egli comunque riservava agli adulti. Divertiti giochi di parole sono le deformazioni di poesiole d'epoca, pescate dalla letteratura edificante con la quale la vigente moralità borghese deformava le menti dei futuri benpensanti fin dalla più tenera infanzia.

La fotografia

Se i precedenti della "scrittura con la luce" risalgono alla fine del Settecento e all'inizio dell'Ottocento – antesignani lo scozzese Thomas Wedgwood e il francese Joseph Niépce –, nel 1850 la fotografia era ancora nella fase di una sua pur prodigiosa infanzia. Lewis Carroll vi si dedicò con appassionato interesse, all'avanguardia delle possibilità tecniche dei suoi tempi. Armato degli ingombranti parafernalia necessari – cavalletto, lastre, flash, cappa nera e via dicendo – egli scattò in vita sua, sia al chiuso sia all'aperto, tremila foto: più o meno l'equivalente di quel che un ragazzino dei nostri giorni scatta col suo cellulare durante una gita scolastica. Tra i nostri odierni exploit tecnologici e le otto ore di esposizione necessarie a Niépce per la sua prima storica fotografia, l'interesse di Carroll cade in un momento di mediano equilibrio; un suo ritratto (sia delle predilette bambine, sia delle celebrità che gli accadde di ritrarre a Londra, tra le quali Ellen Terry, Dante Rossetti e Alfred Tennyson) è sempre la ricerca studiata di una composizione pittorica, dove appunto si disegna non con i colori su una tela, ma "con la luce" su una lastra. E in effetti, altrettanto significativa del suo dedicarvisi è la sua netta

rinuncia alla fotografia – nel 1880 – quando la pellicola sostituisce la lastra e la foto diventa "istantanea": prima aggettivo, poi sostantivo, come a dire "foto per antonomasia". Lewis – privato del suo rituale e della riflessiva calma con cui ogni foto andava preparata – abbandona il tutto; ma credo di dover qui qualcosa a quei cacciatori di indizi che sono gli psicologi, quando sottolineano il fatto che a quel tempo le sorelline Liddell – suo tema preferito – sono ormai delle signorine adulte: Alice ha ventott'anni (morirà nel 1934), e da molti anni egli non ha più alcun rapporto con lei. La rivedrà soltanto in un'occasione, nel 1888, maritata Hargreaves, e faticherà a riconoscere in lei la "Alice conosciuta così intimamente e tanto amata e che io vorrei ricordare sempre come una ragazzina di sette anni assolutamente affascinante", e "che per tanti anni è stata la mia amica-bambina ideale".[1]

Uno stretto legame unisce dunque la sua avventura di fotografo alla sua "storia d'amore" (davvero così possiamo chiamarla) con Alice Liddell. Il che introduce il terzo dei temi annunciati.

La pedofilia

Lewis Carroll manifestò in tutta aperta innocenza un suo interesse per i bambini o, più esattamente, per le bambine. Gli piacevano, le trovava simpatiche, voleva loro bene, con loro si sentiva a suo agio; in loro presenza non balbettava, e sentiva anzi stimolarsi la fantasia per i giochi e per i racconti. Quando viaggiava aveva sempre con sé una borsa piena di libretti, di nastri, di spille da balia, di fogli di carta, di cartoncini, di matite con cui improvvisare quiz, giochetti logici e matematici, prestidigitazioni per un pubblico infantile. Certamente non è errato parlare di un'infanzia che forse personalmente – tra Rugby e Oxford –

---

[1] Così in una lettera del 1888, a una Alice ormai diventata signora Hargreaves. La lettera è firmata Charles Lutwidge Dodgson.

non aveva mai avuto; del vuoto di una madre che neppur morendo sembrava averlo più che tanto scosso; del rigore di un padre pericolosamente miscelato di Irlanda cattolica e di Inghilterra anglicana... Di fatto, non c'è che da constatare il confluire di questa sua passione nell'uso sublimante – ed enfatizzo questo aggettivo – della fotografia, dove la "bambina" – vista solo attraverso la lente della macchina fotografica, egli stesso protetto e garantito dal drappo nero sotto cui si nasconde, con la mano pronta a cogliere nel lampo l'attimo fuggente – è la realizzazione di un'epifania di straordinaria, se pur sorvegliatissima, intensità emotiva e creativa.

In questa storia di amore e di tenerezza[2] il momento centrale fu l'incontro di Lewis Carroll (ancora soltanto Charles Lutwidge Dodgson a quel tempo) con Alice Liddell e le sue sorelle. Era il 1855; al collegio di Christ Church giunge come direttore Henry George Liddell (1811-1898), illustre grecista, coautore con Robert Scott di un dizionario greco-inglese tutt'ora usato[3]; Liddell stringe amicizia con Carroll, che tenta invano di avviare al sacerdozio. Carroll frequenta casa Liddell dove incontra Alice nell'aprile del 1856 (e la data viene evidenziata nel suo diario), e soprattutto per lei le visite si fanno tanto frequenti che la signora Liddell (Lorina Hannah, 1826-1910) in qualche misura se ne allarma. Ciononostante Carroll – *omnia munda mundis* – le chiederà il permesso di fotografare in particolare, tra i dieci figli nati dal suo matrimonio, Lorina, Alice e Edith. La stessa cosa chiederà a molte altre madri di molte altre bambine: nessuna avrà nulla da obbiettare neppure quando Carroll proporrà di poterle fotografare seminude, "in calzoncini da bagno" o meglio ancora nude del tutto, poiché – scrive – "non posso ripetere a sufficienza

<hr>

[2] Prendo questa parola dal lessico di papa Francesco, da pochi giorni eletto mentre scrivo queste righe.

[3] E addirittura tradotto in italiano: cfr. Liddell, Scott, *Dizionario illustrato greco-italiano*, a cura di Q. Cataudella, M. Manfredi ed E. Di Benedetto, Le Monnier, Firenze 1975.

quanto in questo caso sarebbero più carine". Il lettore può chiedersi quali madri dei nostri tempi non entrerebbero in sospetto, più che motivato del resto, da una richiesta del genere.

Il rapporto con Alice (che nel 1856 aveva quattro anni) si fece più intenso a mano a mano che la bambina sviluppava – a quanto è dato sapere – una personalità vivace e accattivante che "ispirava" comunque Lewis Carroll.[4] Una bella fotografia di quando lei doveva avere otto o nove anni, la ritrae in un atteggiamento e con un'espressione vagamente inquietanti: confesso – non senza qualche vergogna – che sulle prime questa foto mi ha richiamato i cosiddetti studi pastorali del barone fotografo Wilhelm von Gloeden, che a Taormina, tra l'Otto e il Novecento, immortalava garzoni seminudi tra pampini e anfore in accostamenti di pretesa antica. Ma il richiamo può tornar utile per valutare quanta delicata poesia prenda il posto, in Carroll, dell'evidente volgarità di von Gloeden.

Va detto anche che sempre – sia nel caso delle piccole Liddell sia nei casi successivi delle sue "molte amiche

[4] Potrà forse interessare qualche notizia sulla sua vita dopo l'amicizia con Lewis Carroll, che troncò del tutto nel 1865, per un deciso intervento di sua madre, largamente allarmata dalla piega che minacciava di poter prendere quel rapporto. Alice condusse intensa vita sociale, si dedicò alle arti figurative, di lei si spettegolò alquanto in merito a una sua vicenda amorosa (in realtà si trattò forse di sua sorella Edith) con il principe Leopoldo, ultimo figlio della regina Vittoria e studente al Christ Church College, che comunque – sposato con una principessa tedesca – darà alla sua prima figlia il nome di Alice. Alice Liddell sposò poi, nell'abbazia di Westminster, un ricco giocatore di cricket ad alto livello (Reginald Hargreaves, 1852-1926) e visse nella casa di Cafnell's nella grande proprietà del marito, nello Hampshire. Ebbero tre figli, due dei quali – Alan e Leopold – furono uccisi nella Prima guerra mondiale. Reginald Hargreaves morì nel 1926, e Alice – anche a causa delle troppo ingenti spese per la casa – vendette all'asta il manoscritto originale di *Alice nel paese delle meraviglie*, ricavandone 15.400 sterline, quattro volte il prezzo base stabilito da Sotheby's. Nel 1932, in occasione del primo centenario della nascita di Lewis Carroll, fu invitata in America dove ricevette anche una laurea ad honorem all'Università di Columbia. Morì in Inghilterra (Westenham, nel Kent) il 16 novembre del 1934.

bambine"[5] – Carroll si preoccupò di sgomberare il terreno da ogni possibile equivoco; e durante le pose fotografiche volle sempre accanto a sé la presenza di una madre o comunque di un adulto. Non tutti sono d'accordo su questo punto (il che è del resto comprensibile e ragionevole), e parlano di una sorta di precauzione che egli si sarebbe imposto; ma se dobbiamo stare alle "risultanze processuali", ovvero ai fatti, ogni diverso sospetto non è in alcun modo dimostrabile.[6]

Ma il caso di Alice fu comunque un caso a parte: Carroll frequentava quanto più possibile con ogni scusa casa Liddell, e inviava ad Alice frequenti, troppo frequenti bigliettini. Un episodio, narrato da John Ruskin – anch'egli in quel periodo studente al Christ Church College di Oxford, e anch'egli attratto da giovinette prepuberi – dice di un'occasione in cui Alice e Lorina invitarono Carroll e Ruskin a casa loro per un the, all'insaputa dei genitori e approfittando di una loro assenza. Ma un peggioramento del tempo obbligò i coniugi Liddell a un imprevisto ritorno, con grande imbarazzo di tutti i presenti, e un mutato atteggiamento della signora Liddell, che a seguito di questo incidente pretese che Alice distruggesse tutte le letterine e i biglietti ricevuti da Carroll e praticamente ne interruppe i rapporti.[7]

Ma la amorosa "simpatia" di Carroll per quella bam-

[5] Dalla lettera del 1888 citata più sopra. Tutte le lettere – non tutte brevissime, e sempre firmate con il suo vero nome – sono indirizzate a bambine. Una sola fa eccezione: indirizzata a un certo Bernie, da Guilford, cui C.L.D. chiede: "Hai delle sorelle?".

[6] Questo, anche senza arrivare all'affermazione di Guido Almansi (*Le bambine di Carroll, Foto e lettere di Lewis Carroll a Mary, Alice, Irene, Agnese*..., a cura di Guido Almansi, Franco Maria Ricci Editore, Parma 1974) che afferma la dubbia purezza degli interessi di Carroll sostenendo che "nessun interesse è incontaminatamente puro": il che è però allora un banale truismo tautologico.

[7] L'aneddoto è tratto dagli autobiografici *Praeterita*, ultima opera di John Ruskin prima del definitivo sprofondare nella follia. Devo la segnalazione a Milli Graffi (cfr. Carroll, *Alice nel Paese delle Meraviglie e Attraverso lo specchio*, Garzanti, Milano 1975).

bina aveva a quel punto già prodotto il frutto straordinario e irripetibile delle *Avventure di Alice nel Paese delle Meraviglie*.

Alice nel paese delle meraviglie

Il 4 luglio 1862, in una splendida giornata di sole,[8] Lewis Carroll, con l'amico e collega reverendo Robinson Duckworth, compie una gita in barca sul Tamigi con le tre sorelline Liddell: Lorina, Alice e Edith, rispettivamente di tredici, dieci e otto anni. È durante il tragitto di circa otto chilometri, da Folly Bridge (Oxford) al villaggio di Godstow, che Carroll improvvisa i primi quattro capitoli di una storia che ha per protagonista la sua prediletta tra le piccole Liddell. Fu Alice stessa che lo spinse a mettere per iscritto il racconto, e a donarglielo con illustrazioni di suo pugno, con il titolo di *Le avventure di Alice sottoterra*. Solo nel 1865 il testo, con il titolo con cui ci è pervenuto, uscì per i tipi di Macmillan, con immediato e clamoroso successo; dovuto anche alle illustrazioni di John Tenniel,[9] presto e meritatamente famose come quelle di Gustave Doré per la *Divina Commedia* o quelle di Chagall per le *Anime morte* di Gogol'. Per questa definitiva edizione, Carroll arricchì il testo ori-

[8] Così in talune testimonianze. Ma nel secolo scorso, un'indagine di un qualche pignolo inteso a rompere le uova nel paniere, sembra aver accertato che quel giorno a Oxford pioveva. Come che sia... detto questo, preferisco la versione corrente.

[9] John Tenniel (1820-1914), disegnatore e illustratore. I casi della vita lo portarono a sacrificare le proprie ambizioni di pittore al mestiere – peraltro solo formalmente "inferiore" – di vignettista del celeberrimo "Punch". Uomo di forte personalità, di grande talento e di vasta cultura, dotato di sottile umorismo, illustrò con grande humour le favole di Esopo. Collaborò con Carroll in una posizione non subalterna, convincendolo ad esempio a eliminare un capitolo da *Attraverso lo specchio*. Un biografo di Carroll – Lamgford Reed – ha notato la somiglianza della Duchessa di Tenniel con la Contessa del Tirolo, Margareta "Maultasch", di cui il pittore fiammingo Quentin Metsys fece un ritratto postumo che le valse la fama di donna più brutta della storia.

ginario (o i suoi ricordi) di numerosi personaggi e di nuovi incidenti, portando il tutto a dodici capitoli. Della sua genesi il libro conserva però il carattere disossato e "casual": un racconto che prosegue a balzelloni, che infila un episodio dietro l'altro con agganci del tutto gratuiti e occasionali, che sfugge a ogni regola codificata, per imporre un proprio modo d'essere autosufficiente anche nella propria irragionevolezza, o proprio in virtù di questa. Il racconto ha inizio con Alice che si addormenta e termina quando Alice si risveglia: potrebbe alleggerirsi di qualche capitolo fino ai quattro originari, oppure prolungarsi per il doppio dei dodici che lo compongono. La cosa è perfettamente plausibile e indifferente.

Una mia radicata convinzione è che un libro vada affrontato e letto così come è stato scritto; con analoga tempistica e consimile collocazione nello spazio. *Guerra e pace* si legge preferibilmente nelle lunghe sere d'inverno, seduti in poltrona, un giallo di Agatha Christie si legge d'un fiato, nell'ansia di constatare che l'assassino è proprio quello di cui mai si sarebbe detto! Trovo sintomo di grave decadenza che i mattoni di Grisham o di Follett siano letti in metropolitana, in piedi, in precario equilibrio, sospendendo la lettura perché è ora di scendere, dove capita capita, senza il minimo riguardo per la situazione narrata.

Ora, come va letto *Alice nel paese delle meraviglie*? Raccolgo volentieri un'indicazione che Carmen Covito[10] ravvisa in una battuta del Re di Cuori nell'ultimo capitolo, rivolto al Coniglio Bianco che sta per leggere una poesia: "Inizia dall'inizio e vai avanti finché non arrivi alla fine: poi, fermati". E in effetti così si può leggere, di primo acchito, senza pause, o comunque indifferenti alle interruzioni; poiché da qualsiasi punto si ricominci la lettura, è come riprendere la storia da un punto fermo, senza nessi da ricordare con quanto precede. Ogni pagina è un inizio: per l'episodio che segue, per il personaggio che

[10] Cfr. Carmen Covito, *Postfazione*, in *Alice nel paese delle meraviglie*, tr. di Aldo Busi, Feltrinelli, Milano 1993, p. 189.

viene introdotto, per la situazione in cui Alice si trova. Ogni elemento è nuovo, privo di precedenti, privo di ritorni una volta che il personaggio sia sparito e l'episodio si sia concluso. Lo stesso richiamo, anche sottile e colto, a un qualche fatto o personaggio pubblico dell'epoca, si esaurisce in se stesso e nella propria enunciazione; non disturba e non interferisce con la lettura più di quanto non disturbi o non interferisca con il sogno di Alice. Certo: nel passare dalla sua prima formulazione di racconto in barca del 1862 al "visto si stampi" del 1865, il testo si è arricchito di spunti di varia natura, al punto che una cosa va detta subito, in tutta determinata chiarezza: che *Alice nel paese delle meraviglie non è* un libro per bambini, anche se contiene una storia per bambini, come si potrebbe dire del *Pinocchio* di Collodi, e come *non si può dire* della proterva favolistica dei fratelli Grimm, che certamente ai bambini si rivolgevano in esclusiva, guastandone la beatitudine dell'infanzia, affogandoli di incubi, e preparando il terreno a Adolf Hitler.

Ma l'allusione è probabilmente eccessiva. Tornando ad *Alice*, le inserzioni successive alla prima improvvisazione riguardano le poesie di cui è ricco il testo: le tre sorelline hanno – o avrebbero – certamente raccolto il senso della deformazione satirica, come ad esempio nel secondo capitolo, la parodia di una nota ed edificante poesiola di Isaac Watts sulle brave api laboriose[11]; o ancora, nel capitolo settimo, la scimmiottatura di una ninnananna di Jane Taylor (1806), notissima anche ai giorni nostri, che inizia con "Twinkle, Twinkle, Little Star"; ma già la citazione delle didascaliche quartine di Robert Southey nel quinto capitolo, su come fin dalla giovinezza si debba pensare alla vecchiaia, non mi paiono pertinenti se rivolte a bambine tra gli otto e i tredici anni; e lo stesso è a dirsi della canzone di sapore cabarettistico e café chantant che figura nell'undicesimo capitolo, alquanto estranea al mondo infantile. In-

[11] Vedi n. 1 al testo, p. 215.

fine, del tutto assente nella prima versione "in barca" è l'episodio delle primarie (o "Caucus Race") che nel discorso del Topo riprende un manuale di storia dell'epoca, a scopo di satira del sistema educativo vigente; anche questo evidentemente rivolto a un pubblico adulto. E così, infine, i giochi di parole dell'ultimo capitolo, poco prima del risveglio di Alice, quando Carroll non sta certo parlando a delle bambinette, e si abbandona liberamente al suo talento per i giochi verbali e per le omofonie.[12] Eccetera, eccetera.

Quali che siano, comunque, le modifiche apportate in corso d'opera, il testo – pare su insistenza della stessa Alice – venne proposto all'editore Macmillan di Londra che nella primavera del 1865 – a spese peraltro dell'autore – ne fece un'edizione di duemila copie; insoddisfatto della resa delle illustrazioni, Carroll fece ritirare le copie, e il libro tornò in circolazione, curato da un nuovo stampatore, prima della fine dell'anno in una tiratura di quattromila copie. Il successo, abbiamo detto, fu immediato e duraturo: le edizioni Macmillan dichiarano dodicimila copie nel 1868, novantottomila nel 1897. Immediato anche il successo critico, e – al di là del successo – il diluvio di interpretazioni di ogni genere che si abbatté sul romanzo e sul suo autore. Tanto più sconnessa e "senza capo né coda" si presenta la storia di Alice (anche questo l'abbiamo già detto) tanto più ampi spazi si aprono al lettore e all'interprete, che di fronte alla *Divina Commedia* o al *Ramayana* si trova invece ad avere a che fare con un materiale ben preciso e delimitato. Nella mancanza di quei "paletti" che pongono un limite – per l'appunto – alle interpretazioni delle due somme opere citate, la fantasia degli interpreti di *Alice* si è cimentata in

---

[12] In materia di giochi verbali e di omofonie, colgo l'occasione per fare cosa buona e giusta, segnalando un prezioso e geniale *Piccolo Zingarello* di Roberto Lombardi (Edizioni Theoria, Roma-Napoli 1993), e un suo aggiornamento con lo stesso titolo, e con il sottotitolo di *Manuale di fraintendimento del linguaggio* (AutoEdizioni, Salerno-Milano 2007), che portano il "gioco" a uno straordinario livello di virtuosismo.

elucubrazioni, anche brillanti, se vogliamo, ma del tutto inutili e "non necessarie": forti anche dell'impossibilità di essere contraddetti, come è per ogni discorso sull'ippogrifo o sull'esistenza di Allah.

Ora, il sottoscritto coltiva da sempre una sorta di sempre crescente diffidenza per le spiegazioni più complicate delle cose che intendono spiegare. Nel caso specifico, come devo comportarmi quando tra le ruote del divertimento che mi procura l'incontro con il Gatto del Cheshire un pure illustre signor Rackin mi infila un bastone che mi avverte del pericoloso significato di un sorriso senza gatto, che distrugge quell'indistruttibile (fino a quel momento) anello logico del rapporto di dipendenza tra attributo e soggetto? E quando un'altrettanto illustre signora Auerbach afferma che il Gatto è un alter-ego di Alice, che ne rende esplicita l'identificazione con il mondo delle meraviglie, e che "nella sua serena accettazione della furia interna ed esterna sembra essere una versione post-analitica delle perplessità di lei"? Abbiamo preso come esempio il Gatto, ma su tutto e su tutti – nel romanzo – si è arzigogolato nella stessa maniera e con la stessa sadica fantasia. Onde e per cui, l'invito del sottoscritto al lettore è quello di seguire Alice nel suo viaggio fantasioso così come le piccole Liddell l'hanno seguito in barca, lungo il Tamigi, il 4 luglio del 1862. Rinunciare a cercare troppo astrusi significati ha un grande effetto liberatorio; alla luce di quello che ancora una volta il saggio Re di Cuori sentenzia nell'ultimo capitolo: "Se non c'è nessun significato... questo, sapete, ci risparmia un mondo di guai, perché non abbiamo più bisogno di cercarne uno".

Del resto, non a caso è questa la lezione a cui si è attenuta intorno alla metà del secolo scorso quella importante lettrice e interprete del romanzo che è la decima Musa. Come subito vedremo.

Alice *al cinema*

In merito a quella spiritosa invenzione[13] – al pari dello spread e del fungo cinese – che è il cosiddetto "immaginario collettivo", va rilevato che *Alice nel paese delle meraviglie* vi si è insinuato forse più nella versione cinematografica della Walt Disney che non nella versione letteraria di Carroll. Il cinema, del resto, si sa com'è: quando mette le mani su qualcosa non si perita di comportarsi come Brenno; di qualsiasi cosa si tratti – storia biblica, guerra di Troia, o Biancaneve e i sette nani che sia – interviene spietatamente, avvertendo che non intende fare prigionieri, forte della maggiore diffusione (e dei maggiori introiti) che è in grado di garantire. A comportarsi male si fa peccato, ma a volte qualcosa di buono lo si ottiene. E a me pare innegabile che la trasposizione cinematografica che la Disney ha fatto di *Alice* nel 1951 (pescando anche da *Attraverso lo specchio*), con la regia di Geronimi,[14] Jackson e Luske, e un'infinita schiera di disegnatori e animatori di qualità "disneyana", per quanto brutale e irriguardosa,[15] in qualche modo restituisce all'invenzione di Carroll il suo originario carattere di *divertissement* davvero inteso all'infanzia. Del film non possiamo dire – come abbiamo fatto per il racconto di Carroll – che *non sia* un film per bambini; le allusioni politiche vi sono messe da parte, al pari delle ci-

[13] "Spiritosa invenzione" è la locuzione che Lelio, protagonista del *Bugiardo* di Goldoni (1750), usa per minimizzare le proprie bugie.

[14] Clyde Geronimi, in quanto d'origine italiana, merita una patriottica nota. Nato a Chiavenna nel 1901 e morto nel 1989 negli Stati Uniti, disegnatore e animatore, firmò come regista molti dei grandi capolavori d'animazione della Disney, tra i quali – dal 1950 al 1961 – *Cenerentola*, *Peter Pan*, *Lilli e il vagabondo*, *La bella addormentata* e *La carica del 101*.

[15] Quanto a utilizzazioni "brutali" o comunque brutalmente pragmatiche dei materiali usati per trascrizioni *et similia*, qualche precedente non manca: segnalerei in particolare – tra Sette e Ottocento – l'uso di trasformare le tragedie shakespeariane in commedie a lieto fine, in nome di una malintesa "giustizia poetica", e – nell'opera lirica – il piegarsi di ogni fonte narrativa alle necessità del "libretto".

tazioni satiriche di poesiole edificanti; tutto è diretto e immediato, le musiche vi suonano contemporanee, molti elementi che nella pagina scritta non possono che essere enunciati, vengono qui sviluppati ed esaltati con uno humour e un'evidenza che la sola parola parlata o scritta non può raggiungere. Basterebbe citare, sotto questo profilo, l'apparizione del Gatto del Cheshire e del suo sorriso, o la scena del Non-compleanno del Cappellaio Matto per constatare l'apporto che l'immagine vi conferisce.[16]

In conclusione, il film su *Alice* è uno dei rari casi nei quali l'opera letteraria che lo ispira (che solitamente viene semplificata in maniera deludente) le si affianca con grande affinità elettiva, sottolineandone la profonda componente della sua origine semplicissima e infantile; fedele a se stessa – oserei dire – non meno di quanto abbia fatto la penna di Carroll. Certo non si tratta di rovesciare il rapporto tra *Alice* romanzo e *Alice* film: *Alice nel paese delle meraviglie*, del Rev. Charles Lutwidge Dodgson resta pieno protagonista della situazione, e il film rimane nel suo ruolo subordinato di interprete e di "imitatore". Ma raramente accade di verificare una così stretta sintonia e una così efficace collaborazione tra due linguaggi espressivi (oggi "media") diversi, quali – in questo caso – la parola e l'immagine.

[16] Il sito it.wikipedia.org/wiki/Alice_nel_Paese_delle_Meraviglie_(film_1951) elenca tutte le modifiche apportate al romanzo dalla riduzione cinematografica. In particolare, il film assume come filo conduttore la curiosità di Alice che cerca di sapere dove sta andando il Coniglio Bianco, cosa che nel romanzo è solo un punto di partenza, presto accantonato. Nel film sono omessi vari episodi; l'incontro di Alice con la Duchessa e il porco, la storia del furto delle crostate (che viene però reintrodotto nella versione filmica del 2010), l'incontro con il Grifone e la storia della Finta Tartaruga. Per contro, il film introduce un personaggio – mister Serratura – che è un'invenzione della Disney. Altra nota particolare: con ben venti brani musicali, che non trovano ragion d'essere nel romanzo, *Alice* è il film più musicale fra i lungometraggi animati della Disney.

La traduzione

Due parole, infine, sulla traduzione. A stretto rigor di termini, *Alice nel paese delle meraviglie* è in qualche misura intraducibile (ed è del resto di problematica comprensione per gli stessi lettori anglosassoni). Troppe le situazioni nelle quali il traduttore si sente disarmato: esse vanno dalle irrecuperabili allusioni politiche, agli equivoci resi possibili dalle elastiche omofonie del lessico inglese, ai richiami a poesie e canzoni di cui si è totalmente perso il ricordo, ai giochi di parole non trasferibili in altra lingua: come accade per le battute umoristiche delle commedie shakespeariane, che pesantissime note a piè pagina spiegano come e qualmente possano e debbano far ridere, ammesso che a quel punto il lettore ne abbia ancora voglia. Per non parlare di dettagli che solo Dio e il reverendo Dodgson – ambedue irraggiungibili – potrebbero spiegare.

In questa situazione, il sottoscritto ha creduto male minore adottare una politica ad ala variabile. Bene per quello che viene spontaneo e facile alla lettura immediata (come ad esempio per la canzoncina sulla Vispa Teresa o per le due ninnenanne che si incontrano), bene per quanto possibile nel caso delle allusioni di ogni sorta, recuperabili senza troppi tormenti a piè pagina; bene anche – con qualche faticosità – per le canzoni, per le quali si chiede al lettore un certo sforzo di immaginazione e un po' di buona volontà. Quanto ai momenti di gioco verbale decisamente irrecuperabili, ho lasciato le cose come stanno: trincerandomi dietro la scusa che *Alice* fa largo posto al "nonsense", e che se una cosa non si capisce... be', la si prenda come un nonsense, senza perderci il sonno o diventar matti. In ultima analisi, si potrebbe dire che ho tenuto d'occhio certe indicazioni del film, che rimane – come già detto – la più convincente e lungimirante interpretazione del romanzo, e la sua più efficace "traduzione" in un altro linguaggio.

ALICE NEL PAESE DELLE MERAVIGLIE

All in the Golden Afternoon

All in the golden afternoon
Full leisurely we glide;
For both our oars, with little skill,
By little arms are plied,
While little hands make vain pretence
Our wanderings to guide.

Ah, cruel Three! In such an hour,
Beneath such dreamy weather,
To beg a tale of breath too weak
To stir the tiniest feather!
Yet what can one poor voice avail
Against three tongues together?

Imperious Prima flashes forth
Her edict "to begin it":
In gentler tones Secunda hopes
"There will be nonsense in it."
While Tertia interrupts the tale
Not more than once a minute.

Anon, to sudden silence won,
In fancy they pursue
The dream-child moving through a land
Of wonders wild and new,
In friendly chat with bird or beast—
And half believe it true

Pomeriggio dorato

Pomeriggio dorato: a bordo andiamo
scivolando sull'acqua lungo il fiume,
mentre mani infantili intente ai remi
cercano invano di tener la rotta
correggendo l'andare della barca
di qua e di là, come sospinta a caso.

Ah, ma ecco: le tre piccole furie,
chiedono al vate e al debole suo fiato,
che neppure una piuma smuoverebbe,
sotto quel cielo che somiglia a un sogno...
di narrare una favola! Ma contro
tre lingue come quelle, cosa fare?

Netto è il comando della Prima: "Orsù!
Cominciare!". Con più gentile tono
si raccomanda la Seconda: "Almeno
che ci sia qualche cosa di bizzarro!".
E la Terza che chiede: "Come?... Quando?...".
E che gli altri interrompe ogni momento.

Poi, d'improvviso... ecco: tutte tacciono,
tutte seguendo con la fantasia
le avventure di lei in quel paese
di meraviglie, ed il suo farsi amici
strani animali e strani uccelli, e quasi
credendo vero tutto quel che è sogno.

And ever, as the story drained
The wells of fancy dry,
And faintly strove that weary one
To put the subject by,
"The rest next time—" "It is next time!"
The happy voices cry.

Thus grew the tale of Wonderland:
Thus slowly, one by one,
Its quaint events were hammered out—
And now the tale is done,
And home we steer, a merry crew,
Beneath the setting sun.

Alice! A childish story take,
And with a gentle hand
Lay it where Childhood's dreams are twined
In Memory's mystic band,
Like pilgrim's withered wreath of flowers
Pluck'd in a far-off land.

E poi ancora: quando ormai la storia
ha inaridito al povero poeta
le sorgenti di ogni fantasia
invano ei chiede venia, invano dice
"Il resto un'altra volta!": le tre arpie
protestano: "Ma è questa l'altra volta!".

Così è nata la favola del viaggio
nel grande regno delle meraviglie,
così quei pazzi eventi ad uno ad uno
sono nati alla vita. E qui finisce
la favola, e nel sole che tramonta
l'allegra prua fa rotta verso casa.

A te, Alice! Prendi questa storia
come se fosse anch'essa una bambina,
e deponila là dove l'Infanzia
intreccia i sogni suoi entro l'ordito
della Memoria, come il fiore spento
che il pellegrino ha colto in capo al mondo.

I
Down the Rabbit-Hole

Alice was beginning to get very tired of sitting by her sister on the bank, and of having nothing to do: once or twice she had peeped into the book her sister was reading, but it had no pictures or conversations in it, "and what is the use of a book," thought Alice, "without pictures or conversations?"

So she was considering, in her own mind (as well as she could, for the hot day made her feel very sleepy and stupid), whether the pleasure of making a daisy-chain would be worth the trouble of getting up and picking the daisies, when suddenly a white rabbit with pink eyes ran close by her.

There was nothing so very remarkable in that; nor did Alice think it so very much out of the way to hear the Rabbit say to itself, "Oh dear! Oh dear! I shall be too late!" (when she thought it over afterwards, it occurred to her that she ought to have wondered at this, but at the time it all seemed quite natural); but when the Rabbit actually took a watch out of its waistcoat-pocket, *and looked at it, and then hurried on, Alice started to her feet, for it flashed across her mind that she had never before seen a rabbit with either a waistcoat-pocket, or a watch to take out of it, and, burning with curiosity, she ran across the field after it, and was just in time to see it pop down a large rabbit-hole under the hedge.*

In another moment down went Alice after it, never

I

Giù per la tana del Coniglio

Alice cominciava a essere proprio stufa di starsene lì seduta sull'argine con sua sorella, senza far niente; un paio di volte aveva sbirciato il libro che sua sorella stava leggendo, ma non c'erano né figure né dialoghi: "E a che cosa serve un libro," pensò Alice, "senza figure e senza dialoghi?".

Così stava domandandosi, dentro di sé (per quanto le fosse possibile, dato che il gran caldo le aveva fatto venir sonno e l'aveva un po' intontita) se il piacere di fare una coroncina di margherite valesse la pena di alzarsi e di andare a raccoglierne, quando improvvisamente un coniglio bianco con due occhi rosa le passò davanti correndo.

Non c'era niente di così *strano* in tutto questo; né Alice pensò che fosse poi *tanto* fuori del comune sentire il Coniglio esclamare: "Oh dio! Oh dio! Arriverò troppo tardi!" (dopo, ripensandoci, le sembrò che avrebbe pur dovuto meravigliarsene, ma al momento la cosa le sembrò del tutto naturale); ma quando poi il Coniglio *tirò fuori un orologio dal taschino del gilet*, guardò l'ora e poi corse via, Alice si alzò in piedi, perché le balenò nel cervello che mai prima d'allora aveva visto un coniglio col gilet, né con un orologio da tirar fuori dal taschino; e, curiosa da morire, gli corse dietro attraversando il prato, e fece giusto in tempo a vederlo infilarsi giù in una grande tana di conigli sotto la siepe.

Un attimo dopo anche Alice lo seguì, senza neanche

once considering how in the world she was to get out again.

The rabbit-hole went straight on like a tunnel for some way, and then dipped suddenly down, so suddenly that Alice had not a moment to think about stopping herself before she found herself falling down what seemed to be a very deep well.

Either the well was very deep, or she fell very slowly, for she had plenty of time as she went down to look about her, and to wonder what was going to happen next. First, she tried to look down and make out what she was coming to, but it was too dark to see anything: then she looked at the sides of the well, and noticed that they were filled with cupboards and bookshelves: here and there she saw maps and pictures hung upon pegs. She took down a jar from one of the shelves as she passed: it was labeled "ORANGE MARMALADE," but to her great disappointment it was empty: she did not like to drop the jar, for fear of killing somebody underneath, so managed to put it into one of the cupboards as she fell past it.

"Well!" thought Alice to herself, "after such a fall as this, I shall think nothing of tumbling down stairs! How brave they'll all think me at home! Why, I wouldn't say anything about it, even if I fell off the top of the house!" (which was very likely true.)

Down, down, down. Would the fall never come to an end? "I wonder how many miles I've fallen by this time?" she said aloud. "I must be getting somewhere near the centre of the earth. Let me see: that would be four thousand miles down, I think—" (for, you see, Alice had learnt several things of this sort in her lessons in the schoolroom, and though this was not a very good opportunity for showing off her knowledge, as there was no one to listen to her, still it was good practice to say it over) "—yes, that's about the right distance—but then I wonder what Latitude or Longitude I've got to?" (Alice had not the slightest idea what Latitude was, or

porsi il problema di come avrebbe mai fatto a tornare indietro.

La tana per un tratto andava in piano come una galleria, poi piegava improvvisamente in giù, così improvvisamente che Alice non ebbe neppure il tempo di pensare a come fermarsi prima di ritrovarsi a cadere giù in quello che sembrava un pozzo molto profondo.

O il pozzo era molto profondo, o lei cadeva giù molto lentamente, perché durante la discesa lei ebbe il tempo di guardarsi attorno e di chiedersi cosa mai le sarebbe capitato adesso. Come prima cosa, provò a guardare giù e a immaginare dove sarebbe andata a finire, ma c'era troppo buio per riuscire a vedere qualcosa; poi guardò le pareti del pozzo, e si accorse che erano tutte ricoperte di armadi e di scaffali; e qua e là vide anche delle carte geografiche e dei quadri appesi a dei ganci. Da uno degli scaffali prese un barattolo; c'era un'etichetta con su scritto MARMELLATA D'ARANCE, ma con sua grande delusione era vuoto; non voleva buttar giù il barattolo, per paura di ammazzare qualcuno lì sotto, e così fece in modo di rimetterlo a posto in uno degli scaffali al quale passò accanto cadendo.

"Be'," si disse Alice, "dopo una caduta come questa, sarà roba da niente rotolar giù dalle scale! Tutti, a casa, penseranno come sono brava e coraggiosa! Perché io mai direi niente, neanche se dovessi cadere dal tetto di casa!" (il che, molto probabilmente, era vero).

Giù, giù, giù. Finirà *mai* questa discesa? "Chissà di quante miglia sarò scesa a questo punto!" disse ad alta voce. "Qui sto andando da qualche parte verso il centro della terra. Vediamo un po': dovrebbe essere a quattromila miglia di profondità, e credo..." (perché, vedete, Alice aveva imparato un sacco di queste cose dalle sue lezioni a scuola, e sebbene questa non fosse l'occasione *ideale* per fare uno sfoggio di cultura, dato che non c'era nessuno a starla a sentire, era comunque un buon esercizio di ripasso) "...sì, la distanza dev'essere più o meno questa – ma allora mi chiedo a quale Latitudine o Longitudine mi trovo?" (Alice non aveva la più pallida idea di che cosa fosse la Latitudi-

Longitude either, but she thought they were nice grand words to say.)

Presently she began again. "I wonder if I shall fall right through the earth! How funny it'll seem to come out among the people that walk with their heads downwards! The Antipathies, I think—" (she was rather glad there was no one listening, this time, as it didn't sound at all the right word) "—but I shall have to ask them what the name of the country is, you know. Please, Ma'am, is this New Zealand or Australia?" (and she tried to curtsey as she spoke—fancy, curtseying as you're falling through the air! Do you think you could manage it?) "And what an ignorant little girl she'll think me for asking! No, it'll never do to ask: perhaps I shall see it written up somewhere."

Down, down, down. There was nothing else to do, so Alice soon began talking again. "Dinah'll miss me very much tonight, I should think!" (Dinah was the cat.) "I hope they'll remember her saucer of milk at tea-time. Dinah, my dear! I wish you were down here with me! There are no mice in the air, I'm afraid, but you might catch a bat, and that's very like a mouse, you know. But do cats eat bats, I wonder?" And here Alice began to get rather sleepy, and went on saying to herself, in a dreamy sort of way, "Do cats eat bats? Do cats eat bats?" and sometimes, "Do bats eat cats?" for, you see, as she couldn't answer either question, it didn't much matter which way she put it. She felt that she was dozing off, and had just begun to dream that she was walking hand in hand with Dinah, and was saying to her, very earnestly, "Now, Dinah, tell me the truth: did you ever eat a bat?" when suddenly, thump! thump! down she came upon a heap of sticks and dry leaves, and the fall was over.

Alice was not a bit hurt, and she jumped up on to her feet in a moment: she looked up, but it was all dark overhead: before her was another long passage, and the White Rabbit was still in sight, hurrying down it. There

ne, e idem per la Longitudine, ma pensava che fossero delle gran belle parole da tirar fuori.)

Poi ricominciò: "Chissà se passerò la terra *da una parte all'altra*! Sarà ben strano saltar fuori in mezzo a gente che cammina con la testa in giù! Gli Antipatici, mi pare..." (era piuttosto contenta che non ci fosse *nessuno* a sentirla, perché quella non pareva proprio essere la parola giusta) "... sai, dovrò chiedergli come si chiama quel paese. 'Scusi, signora, questa è la Nuova Zelanda o l'Australia?'" (e parlando cercò di fare un inchino – buffo, *fare un inchino* mentre si precipita nel vuoto! Voi ce la fareste?). "'Ma guarda che ignorante d'una bambina,' penserà se glielo chiedo! No, non chiederò un bel niente: magari lo vedrò scritto da qualche parte."

Giù, giù, giù. Non c'era nient'altro da fare, così Alice ricominciò subito a parlare. "Dina sentirà molto la mia mancanza stasera, lo credo bene!" (Dina era la gatta.) "Spero che si ricordino il suo piattino di latte all'ora del the. Dina, amore mio! Vorrei che anche tu fossi qui giù con me! Qui per aria non ci sono topi, ho paura, però potresti prendere un pipistrello, che assomiglia molto a un topo, non credi? Ma mi chiedo se i gatti mangino i pipistrelli." E qui Alice cominciò ad aver sonno, e continuò a dire tra sé e sé, un po' come se stesse sognando: "I gatti mangiano i pipistrelli? I gatti mangiano i pipistrelli?", e ogni tanto: "I pipistrelli mangiano i gatti?", perché, vedete, il fatto è che siccome in nessun caso avrebbe saputo rispondere, non aveva poi grande importanza il modo in cui si poneva la domanda. Si rese conto che stava addormentandosi, e già cominciava a sognare di stare camminando mano nella mano con Dina, e che le stava dicendo, in tutta serietà: "Insomma, Dina, dimmi la verità: hai mai mangiato un pipistrello?", quando all'improvviso, boing! boing! – fine della caduta – si ritrovò su un cumulo di rami e di foglie secche.

Alice non si era fatta niente, e in un attimo balzò in piedi; guardò in su, ma in alto era tutto buio; davanti a lei si apriva un altro lungo corridoio, e vide ancora il Coniglio

was not a moment to be lost: away went Alice like the wind, and was just in time to hear it say, as it turned a corner, "Oh my ears and whiskers, how late it's getting!" She was close behind it when she turned the corner, but the Rabbit was no longer to be seen: she found herself in a long, low hall, which was lit up by a row of lamps hanging from the roof.

There were doors all round the hall, but they were all locked; and when Alice had been all the way down one side and up the other, trying every door, she walked sadly down the middle, wondering how she was ever to get out again.

Suddenly she came upon a little three-legged table, all made of solid glass: there was nothing on it but a tiny golden key, and Alice's first idea was that this might belong to one of the doors of the hall; but, alas! either the locks were too large, or the key was too small, but at any rate it would not open any of them. However, on the second time round, she came upon a low curtain she had not noticed before, and behind it was a little door about fifteen inches high: she tried the little golden key in the lock, and to her great delight it fitted!

Alice opened the door and found that it led into a small passage, not much larger than a rat-hole: she knelt down and looked along the passage into the loveliest garden you ever saw. How she longed to get out of that dark hall, and wander about among those beds of bright flowers and those cool fountains, but she could not even get her head through the doorway; "and even if my head would go through," thought poor Alice, "it would be of very little use without my shoulders. Oh, how I wish I could shut up like a telescope! I think I could, if I only knew how to begin." For, you see, so many out-of-the-way things had happened lately that

Bianco che vi si affrettava. Non c'era un minuto da perdere; Alice gli corse dietro come il vento, e fece ancora in tempo a sentirlo dire, mentre girava dietro un angolo: "Oh, per le mie orecchie e i miei baffi, come si sta facendo tardi!". Era arrivata vicinissima dietro di lui, ma quando girò anche lei dietro l'angolo, il Coniglio non lo si vedeva più; e lei si ritrovò in una sala lunga e bassa, illuminata da una fila di lampade appese al soffitto.

Tutt'intorno alla sala c'erano delle porte, ma erano tutte chiuse; e Alice, dopo averla percorsa tutta fino in fondo da un lato, e poi su dall'altra parte, cercando di aprirle, si portò tristemente nel mezzo, chiedendosi come sarebbe mai riuscita a uscire di lì.

Improvvisamente si imbatté in un tavolinetto a tre gambe, tutto fatto di vetro massiccio; sul quale non c'era niente all'infuori di una piccola chiave d'oro, e la prima idea di Alice fu che avrebbe potuto essere quella di una delle porte della sala; ma, ahimè, o le serrature erano troppo grandi o la chiave era troppo piccola, e comunque non riuscì ad aprire nessuna porta. Tuttavia, facendo un secondo giro per la sala, si trovò davanti a una tendina di cui prima non si era accorta, dietro la quale c'era una porticina, alta all'incirca quindici pollici; provò ad infilare la piccola chiave nella serratura, e con suo grande sollievo vide che andava bene!

Alice aprì la porta e scoprì che essa conduceva a un piccolo passaggio, poco più grande di una tana di topo; si inginocchiò, e al di là del passaggio vide il più bel giardino che voi possiate immaginare. Quanto le sarebbe piaciuto poter uscire da quella buia sala, e andare a spasso tra quelle aiuole di splendidi fiori e quelle fresche fontane, ma non riusciva nemmeno a ficcare la testa in quella porticina; "Ma anche se riuscissi a passare con la testa," pensò la povera Alice, "a poco mi servirebbe senza le spalle. Oh, come mi piacerebbe potermi schiacciare come un cannocchiale! Forse potrei farcela, se solo sapessi come cominciare". Perché, vedete, erano successe tante di quelle cose strane

Alice had begun to think that very few things indeed were really impossible.

There seemed to be no use in waiting by the little door, so she went back to the table, half hoping she might find another key on it, or at any rate a book of rules for shutting people up like telescopes: this time she found a little bottle on it ("which certainly was not here before," said Alice), and tied round the neck of the bottle was a paper label with the words "DRINK ME" beautifully printed on it in large letters.

It was all very well to say "Drink me," but the wise little Alice was not going to do that in a hurry. "No, I'll look first," she said, "and see whether it's marked 'poison' or not": for she had read several nice little stories about children who had got burnt, and eaten up by wild beasts, and other unpleasant things, all because they would not remember the simple rules their friends had taught them: such as, that a red-hot poker will burn you if you hold it too long; and that, if you cut your finger very deeply with a knife, it usually bleeds; and she had never forgotten that, if you drink much from a bottle marked "poison," it is almost certain to disagree with you, sooner or later.

However, this bottle was not marked "poison," so Alice ventured to taste it, and, finding it very nice (it had, in fact, a sort of mixed flavour of cherry-tart, custard, pine-apple, roast turkey, toffy, and hot buttered toast), she very soon finished it off.

* * *
* *
*

"What a curious feeling!" said Alice, "I must be shutting up like a telescope!"

And so it was indeed: she was now only ten inches high, and her face brightened up at the thought that she was now the right size for going through the little door into that lovely garden. First, however, she waited for a few minutes to see if she was going to shrink any

da un po' di tempo in qua che Alice aveva cominciato a pensare che di cose impossibili ce n'erano davvero poche.

Pareva che non sarebbe servito a niente star lì ad aspettare davanti a quella porticina, e così ritornò al tavolinetto, con una mezza speranza di trovarvi un'altra chiave, o magari un libro di regole per accorciare la gente come i cannocchiali; stavolta vi trovò una bottiglietta ("che di sicuro prima non c'era," disse Alice), e incollata attorno al collo della bottiglia un'etichetta con la parola BEVIMI scritta a grandi e bellissimi caratteri.

Va bene dire "bevimi", ma la piccola e saggia Alice non ebbe *nessuna* fretta di obbedire. "No," disse, "prima voglio vedere se c'è per caso scritto '*veleno*' o no": perché aveva letto varie storielle di bambini che erano andati a fuoco, o che erano stati mangiati da animali selvaggi, o altre spiacevoli cose, e tutto perché *non avevano* dato retta alle semplici regole che i loro amici gli avevano insegnato: tipo, per esempio, che un ferro rovente finirà con lo scottarti se lo tieni in mano troppo a lungo; e che se con un coltello ti fai un taglio *molto* profondo a un dito questo di solito sanguina; e si ricordava da sempre che se bevi da una bottiglia con su scritto "veleno" è quasi sicuro che presto o tardi ti farà male.

Però, su questa bottiglia *non* c'era scritto "veleno"; e così Alice si arrischiò ad assaggiarla, e trovandola molto buona (aveva infatti un sapore misto di crostata di ciliegie, crema pasticcera, ananas, arrosto di tacchino, caramella mou, e pane tostato e burro) subito se la scolò tutta.

* * *
* *
*

"Che strana impressione!" disse Alice, "mi pare di schiacciarmi come un cannocchiale!"

E così in effetti stava succedendo; adesso era alta soltanto dieci pollici, e il volto le si illuminò al pensiero che adesso era della misura giusta per passare dalla porticina e andare in quel bellissimo giardino. Prima, però, aspettò qualche minuto per vedere se si sarebbe rimpicciolita an-

further: she felt a little nervous about this; "for it might end, you know," said Alice to herself, "in my going out altogether, like a candle. I wonder what I should be like then?" And she tried to fancy what the flame of a candle looks like after the candle is blown out, for she could not remember ever having seen such a thing.

After a while, finding that nothing more happened, she decided on going into the garden at once; but, alas for poor Alice! when she got to the door, she found she had forgotten the little golden key, and when she went back to the table for it, she found she could not possibly reach it: she could see it quite plainly through the glass, and she tried her best to climb up one of the legs of the table, but it was too slippery; and when she had tired herself out with trying, the poor little thing sat down and cried.

"Come, there's no use in crying like that!" said Alice to herself, rather sharply. "I advise you to leave off this minute!" She generally gave herself very good advice, (though she very seldom followed it), and sometimes she scolded herself so severely as to bring tears into her eyes; and once she remembered trying to box her own ears for having cheated herself in a game of croquet she was playing against herself, for this curious child was very fond of pretending to be two people. "But it's no use now," thought poor Alice, "to pretend to be two people! Why, there's hardly enough of me left to make one respectable person!"

Soon her eye fell on a little glass box that was lying under the table: she opened it, and found in it a very small cake, on which the words "EAT ME" were beautifully marked in currants. "Well, I'll eat it," said Alice, "and if it makes me grow larger, I can reach the key; and if it makes me grow smaller, I can creep under the door: so either way I'll get into the garden, and I don't care which happens!"

She ate a little bit, and said anxiously to herself

cora: questo la preoccupava un po': "Perché sai, potrebbe andare a finire," si disse Alice, "che io mi consumi tutta, come una candela. E chi lo sa come sarei, allora?". E cercò di immaginare com'è la fiamma di una candela dopo che la candela si è tutta sciolta, perché non ricordava di aver mai visto niente del genere.

Dopo un po', vedendo che ormai non succedeva più niente, decise di andare subito in quel giardino; ma, ahimè per la povera Alice!, quando si trovò davanti alla porta scoprì che aveva dimenticato la piccola chiave d'oro, ma una volta tornata al tavolinetto per prenderla, si accorse che non riusciva più a raggiungerla; la vedeva benissimo attraverso il vetro, cercò anche di arrampicarsi in tutti i modi lungo le gambe del tavolo, ma scivolava troppo; e quando si ritrovò troppo stanca dopo tutti quei tentativi, la povera piccola cadde a sedere e scoppiò a piangere.

"Su, su, non serve a niente mettersi a piangere così!" si disse Alice, con tono un po' brusco. "Se vuoi il mio consiglio, smettila subito!" Di solito, i consigli che si dava erano ottimi (anche se poi li seguiva molto di rado), e a volte si trattava così male da farsi venire le lacrime agli occhi; e si ricordava che una volta si era presa a schiaffi per avere imbrogliato se stessa giocando a croquet, perché a questa strana bambina piaceva molto far finta di essere due persone diverse. "Ma adesso," pensò la povera Alice, "non serve a nulla far finta di essere anche un'altra! Qui, di me c'è rimasto appena appena per *una* persona degna di questo nome!"

Ma subito dopo lo sguardo le cadde su una scatoletta di vetro che si trovava sotto la tavola: la aprì, e vi trovò dentro una piccolissima torta, con su scritto MANGIAMI con bellissimi caratteri tracciati con bacche di ribes. "Va bene, la mangio," disse Alice, "e se mi farà ridiventare grande riuscirò a prendere la chiave, e se invece mi farà diventare più piccola ancora, potrò strisciare sotto la porta; così che in ogni caso entrerò in quel giardino, e non m'importa niente di quel che potrà succedere poi!"

Così mangiò un pezzetto di torta, e si disse con ansia:

"Which way? Which way?" holding her hand on the top of her head to feel which way it was growing; and she was quite surprised to find that she remained the same size. *To be sure, this is what generally happens when one eats cake; but Alice had got so much into the way of expecting nothing but out-of-the-way things to happen, that it seemed quite dull and stupid for life to go on in the common way.*

So she set to work, and very soon finished off the cake.

*

* *

* * *

"Da che parte? Da che parte?", mettendosi una mano sulla testa per sentire se stava crescendo o no; e rimase molto sorpresa nell'accorgersi che restava tale e quale. Il che, certamente, è quello che di solito succede quando si mangia una torta; ma Alice si era ormai tanto adattata a non aspettarsi niente che non fosse strano, che le sembrò del tutto banale e piatto che la vita andasse avanti in modo normale.

E allora si mise al lavoro, e in un attimo fece fuori la torta.

*
* *
* * *

II
The Pool of Tears

"*Curiouser and curiouser!*" *cried Alice (she was so much surprised, that for the moment she quite forgot how to speak good English). "Now I'm opening out like the largest telescope that ever was! Goodbye, feet!" (for when she looked down at her feet, they seemed to be almost out of sight, they were getting so far off). "Oh, my poor little feet, I wonder who will put on your shoes and stockings for you now, dears? I'm sure I shan't be able! I shall be a great deal too far off to trouble myself about you: you must manage the best way you can—but I must be kind to them," thought Alice, "or perhaps they won't walk the way I want to go! Let me see. I'll give them a new pair of boots every Christmas."*

And she went on planning to herself how she would manage it. "They must go by the carrier," she thought; "and how funny it'll seem, sending presents to one's own feet! And how odd the directions will look!

Alice's Right Foot, Esq.,
Hearthrug,
near the Fender.
(with Alice's love),

Oh dear, what nonsense I'm talking!"

Just at this moment her head struck against the roof of the hall: in fact she was now rather more than nine

II

Lo stagno di lacrime

"Andiamo sempre più meglio!" gridò Alice (era così sorpresa che al momento si dimenticò del tutto le regole della grammatica). "Adesso mi sto allungando tutta come il più grande cannocchiale che mai sia esistito! Addio, piedi miei!" (perché guardando in basso verso i suoi piedi, sembrava che quasi non riuscisse a vederli, tanto si andavano allontanando). "Oh, i miei poveri piedini, chi è che vi metterà ora le scarpe e le calze, amori miei? Io certo non ci riuscirò! Sarò troppo lontana per potermi occupare di voi; dovrete arrangiarvi come meglio potrete – ma devo essere gentile con loro," pensò Alice, "che magari non vogliano più portarmi dove desidero andare! Vediamo un po'. Gli regalerò un paio di stivaletti nuovi a ogni Natale!"

E andò avanti pensando a come si sarebbe regolata. "Dovranno arrivargli per posta," disse, "e sarà proprio buffo, mandare dei regali ai propri piedi! E come suonerà strano l'indirizzo!

> Dr. Piede Destro di Alice
> Tappetino del caminetto
> vicino al parafuoco
> (da Alice, con amore).

Oh dio, quante stupidaggini sto dicendo!"

Proprio in questo momento andò a sbattere la testa contro il soffitto della sala: in effetti adesso Alice era alta

feet high, and she at once took up the little golden key and hurried off to the garden door.

Poor Alice! It was as much as she could do, lying down on one side, to look through into the garden with one eye; but to get through was more hopeless than ever: she sat down and began to cry again.

"You ought to be ashamed of yourself," said Alice, "a great girl like you," (she might well say this), "to go on crying in this way! Stop this moment, I tell you!" But she went on all the same, shedding gallons of tears, until there was a large pool all round her, about four inches deep and reaching half down the hall.

After a time she heard a little pattering of feet in the distance, and she hastily dried her eyes to see what was coming. It was the White Rabbit returning, splendidly dressed, with a pair of white kid gloves in one hand and a large fan in the other: he came trotting along in a great hurry, muttering to himself, as he came, "Oh! the Duchess, the Duchess! Oh! won't she be savage if I've kept her waiting!" Alice felt so desperate that she was ready to ask help of any one: so, when the Rabbit came near her, she began, in a low, timid voice, "If you please, sir—" The Rabbit started violently, dropped the white kid gloves and the fan, and scurried away into the darkness as hard as he could go.

Alice took up the fan and gloves, and, as the hall was very hot, she kept fanning herself all the time she went on talking. "Dear, dear! How queer everything is to-day! And yesterday things went on just as usual. I wonder if I've been changed in the night? Let me think: was I the same when I got up this morning? I almost think I can remember feeling a little different. But if I'm not the same, the next question is, 'Who in the world am I?' Ah, that's the great puzzle!" And she began thinking over all the children she knew that were of the same age as herself, to see if she could have been changed for any of them.

"I'm sure I'm not Ada," she said, "for her hair goes in such long ringlets, and mine doesn't go in ringlets at

quasi più di nove piedi, e subito prese su la piccola chiave d'oro e corse verso la porta del giardino!

Povera Alice! Il massimo che poté fare fu di sdraiarsi su un fianco e guardare il giardino con un occhio solo; ma riuscire a passare era più impossibile che mai; si sedette per terra e ricominciò a piangere.

"Dovresti vergognarti di te stessa!" disse Alice, "una ragazza grande come te" (questo poteva dirlo davvero) "mettersi a piangere così! Smettila, e subito: hai capito?" Ma invece andò avanti lo stesso, versando fiumi di lacrime, fino a che attorno a lei si formò un grande stagno profondo circa quattro pollici e grande fino a metà della sala.

Dopo un po' Alice sentì uno scalpiccio di piedi in lontananza, e in fretta e furia si asciugò gli occhi per vedere che cosa stesse succedendo. Era il Coniglio Bianco che tornava lì, tutto elegante, con un paio di guanti di capretto in una mano e un grande ventaglio nell'altra; arrivò al trotto, di gran fretta, borbottando tra sé e sé: "Oh!, la Duchessa, la Duchessa! Oh, sarà furiosa, che l'ho fatta aspettare!". Alice era così disperata che era disposta a chiedere aiuto a chiunque; così, quando il Coniglio le fu vicino, cominciò a dire, a bassa voce, timidamente: "Per piacere, signore...". Il Coniglio sobbalzò bruscamente, lasciò cadere i guanti e il ventaglio, e sparì nel buio più in fretta che gli fu possibile.

Alice raccolse il ventaglio e i guanti, e, poiché in quella sala faceva molto caldo, cominciò a farsi aria sempre continuando a parlare. "Dio, dio! Oggi è davvero tutto strano! E solo ieri non c'era cosa che non andasse avanti come al solito. Mi domando se non sono per caso cambiata durante la notte? Vediamo un po': *ero* sempre la stessa quando mi sono svegliata stamattina? Mi pare quasi di essermi sentita davvero un po' diversa. Ma se non sono la stessa, la domanda è allora: 'Ma chi diavolo sono?'. Ah, *questo è* davvero un bel pasticcio!" E cominciò a pensare a tutti i bambini che conosceva, della sua stessa età, per capire se per caso non si fosse tramutata in uno di loro.

"Di non essere Ada, sono sicura," disse, "perché lei ha i capelli tutti a riccioli, mentre i miei non hanno un ricciolo

all; and I'm sure I can't be Mabel, for I know all sorts of things, and she, oh, she knows such a very little! Besides, she's she, and I'm I, and—oh dear, how puzzling it all is! I'll try if I know all the things I used to know. Let me see: four times five is twelve, and four times six is thirteen, and four times seven is—oh dear! I shall never get to twenty at that rate! However, the Multiplication Table doesn't signify: let's try Geography. London is the capital of Paris, and Paris is the capital of Rome, and Rome—no, that's all wrong, I'm certain! I must have been changed for Mabel! I'll try and say 'How doth the little—'" and she crossed her hands on her lap, as if she were saying lessons, and began to repeat it, but her voice sounded hoarse and strange, and the words did not come the same as they used to do:

"How doth the little crocodile
Improve his shining tail,
And pour the waters of the Nile
On every golden scale!

"How cheerfully he seems to grin,
How neatly spreads his claws,
And welcomes little fishes in,
With gently smiling jaws!"

"I'm sure those are not the right words," said poor Alice, and her eyes filled with tears again as she went on, "I must be Mabel after all, and I shall have to go and live in that poky little house, and have next to no toys to play with, and oh, ever so many lessons to learn! No, I've made up my mind about it: if I'm Mabel, I'll stay down here! It'll be no use their putting their heads down and saying, 'Come up again, dear!' I shall only look up and say, 'Who am I, then? Tell me that first, and then, if I like being that person, I'll come up: if not, I'll stay down here till I'm somebody else'—but, oh

ch'è uno, e sono sicura di non essere neanche Mabel, perché io so un sacco di cose, e lei, invece, be', non sa quasi niente! E oltre tutto, *lei* è lei, e io sono *io*, e poi... oh dio, è proprio un bel pasticcio! Voglio provare a vedere se so ancora tutto quello che ho sempre saputo. Vediamo un po': quattro per cinque dodici, e quattro per sei tredici, e quattro per sette... oh dio, a questa stregua non arriverò mai a venti! Però, le Tabelline non vogliono dir niente; proviamo con la Geografia. Londra è la capitale di Parigi, e Parigi è la capitale di Roma, e Roma... no, è *tutto* sbagliato, ne sono sicura! Devo essermi scambiata con Mabel! Proverò a dire 'La vispa Teresa'... e intrecciò le mani in grembo, come se la stessero interrogando, e lei dovesse recitare a memoria, ma la voce le suonò rauca e strana, e le parole non le uscivano come al solito:

> La vispa Teresa avea fra l'erbetta
> in trappola presa gentile capretta.
> E tutta giuliva strozzandola: 'Evviva!'
> gridava a distesa, 'l'ho presa, l'ho presa!'.
>
> E quella piangendo: 'Deh, lasciami anch'io,
> saltando e correndo son figlia di Dio!'.
> 'Lo so,' le rispose Teresa, 'ti credo;
> ma a me piaci più fatta arrosto o allo spiedo!'[1]

"Sono sicura che queste non sono le parole giuste," disse la povera Alice, e di nuovo i suoi occhi si riempirono di lacrime, mentre continuava: "Si vede che sono proprio Mabel, e che dovrò andare a vivere in quella sua casa piccola e disagiata, senza quasi neanche un giocattolo con cui giocare e, oh, sempre con tutte quelle lezioni da imparare. No, quanto a questo ho deciso: se sono Mabel, me ne starò qui! E non servirà a niente che gli altri ficchino la testa qui dentro e dicano 'Vieni fuori di lì, carina!'. Io allora guarderò su e dirò solo: 'Ma allora, chi sono? Prima rispondetemi, e poi, se mi piacerà essere quella che dite, verrò fuori; se no, me ne starò qui fino a che non sarò diventata qualcun al-

dear!" cried Alice, with a sudden burst of tears, "I do wish they would put their heads down! I am so very tired of being all alone here!"

* * *
* *
*

As she said this, she looked down at her hands, and was surprised to see that she had put on one of the Rabbit's little white kid gloves while she was talking. "How can I have done that?" she thought. "I must be growing small again." She got up and went to the table to measure herself by it, and found that, as nearly as she could guess, she was now about two feet high, and was going on shrinking rapidly: she soon found out that the cause of this was the fan she was holding, and she dropped it hastily, just in time to save herself from shrinking away altogether.

"That was a narrow escape!" said Alice, a good deal frightened at the sudden change, but very glad to find herself still in existence. "And now for the garden!" And she ran with all speed back to the little door; but, alas! the little door was shut again, and the little golden key was lying on the glass table as before, "and things are worse than ever," thought the poor child, "for I never was so small as this before, never! And I declare it's too bad, that it is!"

As she said these words her foot slipped, and in another moment, splash! she was up to her chin in salt water. Her first idea was that she had somehow fallen into the sea, "and in that case I can go back by railway," she said to herself. (Alice had been to the seaside once in her life, and had come to the general conclusion that, wherever you go to on the English coast, you find a number of bathing machines in the sea, some children digging in the sand with wooden spades, then a row of lodging houses, and behind them a railway station.) However, she soon made out that she was in the pool of tears which she had wept when she was nine feet high.

tro'... ma, oh dio!" gridò Alice, con un improvviso scoppio di pianto, "Vorrei davvero che *qualcuno* ficcasse la testa qui dentro! Sono proprio *stufa* di essere qui tutta sola!".

* * *
* *
*

Detto questo, chinò lo sguardo sulle mani e si accorse con meraviglia che mentre parlava si era infilata uno dei piccoli guanti di capretto bianchi del Coniglio. "*Come* posso averlo fatto?" pensò. "Devo essere ridiventata piccola." Si alzò e si avvicinò al tavolino per misurarvisi, e scoprì che, a occhio e croce, adesso era alta più o meno due piedi, e che si stava rapidamente rimpicciolendo; presto si accorse che la causa di tutto questo era il ventaglio che aveva in mano, e lo gettò a terra in fretta, appena in tempo per salvarsi dal rimpicciolire fino a sparire del tutto.

"Mi è andata bene per un *pelo!*" disse Alice, piuttosto spaventata per quell'improvviso cambiamento, ma molto contenta di trovarsi ancora in circolazione. "E adesso in giardino!" E di gran carriera fece ritorno alla porticina; ma, ahimè!, la porticina era di nuovo chiusa, e la piccola chiave d'oro era sempre lì sul tavolino di vetro. "E le cose vanno peggio che mai," pensò la povera bambina, "perché mai prima d'ora mi son trovata a essere così piccola, proprio mai! E io dico che questo è troppo, sissignore!"

Mentre diceva queste parole un piede le scivolò, e un attimo dopo, splash!, si ritrovò immersa in acqua salata fino al mento. La prima cosa che le venne da pensare fu che, chissà come, era finita in mare: "E in questo caso potrei tornare a casa col treno," si disse. (Alice era stata al mare una sola volta in vita sua, ed era arrivata alla conclusione che dovunque tu vada al mare in Inghilterra, troverai un certo numero di macchinari da bagno in acqua, qualche bambino che scava la sabbia con delle palette di legno, poi una fila di pensioni, e al di là di quelle una stazione ferroviaria.) Tuttavia, ben presto si rese conto di trovarsi in mezzo allo stagno di lacrime che aveva sparso quando era alta nove piedi.

"I wish I hadn't cried so much!" said Alice, as she swam about, trying to find her way out. "I shall be punished for it now, I suppose, by being drowned in my own tears! That will be a queer thing, to be sure! However, everything is queer to-day."

Just then she heard something splashing about in the pool a little way off, and she swam nearer to make out what it was: at first she thought it must be a walrus or hippopotamus, but then she remembered how small she was now, and she soon made out that it was only a mouse, that had slipped in like herself.

"Would it be of any use, now," thought Alice, "to speak to this mouse? Everything is so out-of-the-way down here, that I should think very likely it can talk: at any rate, there's no harm in trying." So she began: "O Mouse, do you know the way out of this pool? I am very tired of swimming about here, O Mouse!" (Alice thought this must be the right way of speaking to a mouse: she had never done such a thing before, but she remembered having seen, in her brother's Latin Grammar, "A mouse—of a mouse—to a mouse —a mouse—O mouse!"). The mouse looked at her rather inquisitively, and seemed to her to wink with one of its little eyes, but it said nothing.

"Perhaps it doesn't understand English," thought Alice. "I daresay it's a French mouse, come over with William the Conqueror." (For, with all her knowledge of history, Alice had no very clear notion how long ago anything had happened.) So she began again: "Où est ma chatte?" which was the first sentence in her French lesson-book. The Mouse gave a sudden leap out of the water, and seemed to quiver all over with fright. "Oh, I beg your pardon!" cried Alice hastily, afraid that she had hurt the poor animal's feelings. "I quite forgot you didn't like cats."

"Vorrei non aver pianto tanto!" disse Alice, mettendosi a nuotare qua e là, alla ricerca di una via d'uscita. "Suppongo che adesso, per punizione, mi toccherà annegare nelle mie lacrime! *Sarà* una cosa ben strana, non c'è dubbio! Comunque, oggi tutto è molto strano!"

Proprio in quel momento, Alice sentì poco più in là nello stagno qualcosa che stava anche quello facendo splash, e nuotò in quella direzione per rendersi conto di che cosa fosse; in un primo tempo pensò che dovesse essere un tricheco o un ippopotamo, ma poi si ricordò di quanto ora fosse piccola; e ben presto si rese conto che era solo un topo, scivolato in acqua come lei.

"Che possa servire a qualcosa, adesso," pensò Alice, "parlare con questo topo? Tutto è così fuori del normale, qui giù, che proprio non mi meraviglierei se sapesse parlare; a ogni modo, provare non fa mai male." E così cominciò: "O Topo, lei sa come si fa a uscire da questo stagno? Sono molto stanca, a furia di star qui a nuotare. O Topo!" (Alice aveva pensato che a un topo ci si dovesse rivolgere in questo modo; non aveva mai fatto niente del genere prima d'ora, ma si ricordò di aver visto, nella Grammatica Latina di suo fratello: "Un topo – di un topo – a un topo – un topo – o topo!"). Il topo la fissò con aria piuttosto inquisitiva (e a lei sembrò che le strizzasse uno dei suoi occhietti), ma non disse nulla.

"Forse non capisce quello che sto dicendo," pensò Alice. "Scommetto che è un topo francese, arrivato qui con il Conquistatore." (Perché, per quanto conoscesse la storia, Alice non aveva una chiara nozione di quanto tempo fa una data cosa era successa.) Così cominciò di nuovo: "Où est ma chatte?", che era la prima frase del suo libro di francese. Il Topo fece un salto improvviso quasi fuori dell'acqua, e sembrò tremare tutto di paura. "Oh, le chiedo scusa!" si affrettò a dire Alice, temendo di aver ferito i sentimenti del povero animaletto. "Mi ero dimenticata che a lei non piacciono i gatti."

"Not like cats!" cried the Mouse, in a shrill, passionate voice. "Would you like cats if you were me?"

"Well, perhaps not," said Alice in a soothing tone: "don't be angry about it. And yet I wish I could show you our cat Dinah. I think you'd take a fancy to cats, if you could only see her. She is such a dear quiet thing," Alice went on, half to herself, as she swam lazily about in the pool, "and she sits purring so nicely by the fire, licking her paws and washing her face—and she is such a nice soft thing to nurse—and she's such a capital one for catching mice—oh, I beg your pardon!" cried Alice again, for this time the Mouse was bristling all over, and she felt certain it must be really offended. "We won't talk about her any more if you'd rather not."

"We, indeed!" cried the Mouse, who was trembling down to the end of its tail. "As if I would talk on such a subject! Our family always hated cats: nasty, low, vulgar things! Don't let me hear the name again!"

"I won't indeed!" said Alice, in a great hurry to change the subject of conversation. "Are you—are you fond—of—of dogs?" The Mouse did not answer, so Alice went on eagerly: "There is such a nice little dog, near our house, I should like to show you! A little bright-eyed terrier, you know, with oh, such long curly brown hair! And it'll fetch things when you throw them, and it'll sit up and beg for its dinner, and all sorts of things—I can't remember half of them—and it belongs to a farmer, you know, and he says it's so useful, it's worth a hundred pounds! He says it kills all the rats and—oh dear!" cried Alice in a sorrowful tone. "I'm afraid I've offended it again!" For the Mouse was swimming away from her as hard as it could go, and making quite a commotion in the pool as it went.

So she called softly after it, "Mouse dear! Do come back again, and we won't talk about cats, or dogs

"Che non mi piacciono i gatti?" gridò il Topo, con voce stridula e fremente: "A te piacerebbero i gatti se tu fossi me?".

"Be', forse no," disse Alice in tono conciliante, "ma non si arrabbi per questo. Eppure mi piacerebbe farle conoscere Dina, la nostra gattina. Credo che anche lei si innamorerebbe dei gatti, se solo potesse vederla. È così una cara e tranquilla gattina!" Alice continuò, più a se stessa che ad altri, nuotando pigramente qua e là per lo stagno, "e se ne sta accucciata a far le fusa così carina accanto al fuoco, leccandosi le zampette e lavandosi la faccia – è così bello e dolce coccolarla – e che fenomeno che è a cacciare i topi... oh, chiedo scusa!" gridò ancora una volta Alice, perché al Topo si erano rizzati tutti i peli, e lei si rese conto che senz'altro si era offeso. "Ma non parleremo più di Dina, se lei preferisce."

"Non ne parleremo?" gridò il Topo, che stava tremando tutto fino alla punta della coda. "Come se io volessi parlare di un argomento del genere! La mia famiglia ha sempre *odiato* i gatti: gente cattiva, meschina, volgare. Non farmi sentire mai più quella parola!"

"Mai più di sicuro!" disse Alice, per passare in tutta fretta a un altro tema di conversazione. "E le piacciono... Le piacciono... i... i cani?" Il Topo non rispose, così che Alice continuò tranquillamente: "Vicino a casa nostra c'è un così bel cagnolino, mi piacerebbe farglielo vedere! Un piccolo terrier con dei grandi occhi luminosi, ecco, e oh, con una pelliccia marrone dai peli lunghi e ricci! Che quando gli si butta una cosa corre a prenderla, e che si rizza sulle zampe per chiedere da mangiare, e tante cose così – non me ne ricordo neanche la metà – e il suo padrone è un contadino, ecco, che dice che il cane gli è molto utile, che vale almeno cento sterline! Dice che gli ammazza tutti i topi e... oh dio!" gridò Alice con tono dispiaciuto. "Ho paura di averlo offeso un'altra volta!" Perché il Topo si stava allontanando da lei, nuotando più in fretta possibile, e agitando le acque tutt'intorno.

Così lei lo richiamò dolcemente: "Signor Topo caro! Torni qui, per piacere, e non parleremo mai più di gatti, e

either, if you don't like them!" When the Mouse heard this, it turned round and swam slowly back to her: its face was quite pale (with passion, Alice thought), and it said, in a low, trembling voice, "Let us get to the shore, and then I'll tell you my history, and you'll understand why it is I hate cats and dogs."

It was high time to go, for the pool was getting quite crowded with the birds and animals that had fallen into it: there was a Duck and a Dodo, a Lory and an Eaglet, and several other curious creatures. Alice led the way, and the whole party swam to the shore.

neanche di cani, se a lei non piacciono!". A queste parole, il Topo fece dietro-front e nuotò lentamente verso di lei; il muso gli si era fatto pallido (per la collera, pensò Alice), ed egli disse, con voce bassa e fremente: "Torniamo a riva, e ti racconterò io la mia storia, ché allora capirai perché odio i gatti e i cani".

Era davvero l'ora di andarsene, perché lo stagno si stava affollando degli uccelli e degli animali che vi erano caduti dentro; c'erano un Papero e un Dodo, un Lorichetto e un Aquilotto, e varie altre strane creature. Alice si mise in testa, e tutta la compagnia nuotò fino a riva.

III

A Caucus-Race and a Long Tale

They were indeed a queer-looking party that assembled on the bank—the birds with draggled feathers, the animals with their fur clinging close to them, and all dripping wet, cross, and uncomfortable.

The first question of course was, how to get dry again: they had a consultation about this, and after a few minutes it seemed quite natural to Alice to find herself talking familiarly with them, as if she had known them all her life. Indeed, she had quite a long argument with the Lory, who at last turned sulky, and would only say, "I'm older than you, and must know better." And this Alice would not allow, without knowing how old it was, and, as the Lory positively refused to tell its age, there was no more to be said.

At last the Mouse, who seemed to be a person of some authority among them, called out, "Sit down, all of you, and listen to me! I'll soon make you dry enough!" They all sat down at once, in a large ring, with the Mouse in the middle. Alice kept her eyes anxiously fixed on it, for she felt sure she would catch a bad cold if she did not get dry very soon.

"Ahem!" said the Mouse with an important air. "Are you all ready? This is the driest thing I know. Silence all round, if you please! 'William the Conqueror, whose cause was favoured by the pope, was soon submitted to by the English, who wanted leaders, and had been of

III

La corsa per le primarie e una lunga coda

Faceva davvero uno strano effetto, la compagnia che si raccolse sulla riva... gli uccelli con le piume tutte inzaccherate, gli altri animali con i peli incollati al corpo, e tutti bagnati fradici, arrabbiati, e a mal partito.

Il primo problema, naturalmente, riguardava il come asciugarsi; su questo si accese una discussione, e dopo pochi minuti parve del tutto naturale ad Alice trovarsi a parlare con grande familiarità con gli altri, come se li conoscesse da sempre. In realtà, Alice discusse piuttosto a lungo con il Lorichetto, che finì con l'impermalosirsi, e che concluse dicendo: "Io sono più vecchio di te, e le cose le so"; ma Alice, prima di essere d'accordo, voleva sapere quanti anni aveva, e siccome il Lorichetto si rifiutava decisamente di dirglielo, la discussione si chiuse lì.

Alla fine il Topo, che sembrava essere persona di grande autorità in quell'ambiente, gridò: "Sedetevi, tutti, e ascoltate me! *Io* vi farò asciugare quanto basta!". Tutti si sedettero immediatamente, con il Topo al centro. Alice gli teneva gli occhi addosso, con ansia, perché era sicura che si sarebbe presa un brutto raffreddore se non si fosse asciugata subito.

"Ehm!" disse il Topo con aria di grande importanza. "Siete tutti pronti? Questa è la cosa più asciutta che io conosca. Silenzio tutti quanti, per piacere! 'Guglielmo il Conquistatore, i cui piani erano favoriti dal Papa, dovette subito assoggettarsi agli inglesi, che avevano bisogno di capi, e

late much accustomed to usurpation and conquest. Edwin and Morcar, the earls of Mercia and Northumbria—'"

"Ugh!" said the Lory, with a shiver.

"I beg your pardon!" said the Mouse, frowning, but very politely. "Did you speak?"

"Not I!" said the Lory, hastily.

"I thought you did," said the Mouse. "I proceed. 'Edwin and Morcar, the earls of Mercia and Northumbria, declared for him; and even Stigand, the patriotic archbishop of Canterbury, found it advisable—'"

"Found what?" said the Duck.

"Found it," the Mouse replied rather crossly: "of course you know what 'It' means."

"I know what 'it' means well enough, when I find a thing," said the Duck: "it's generally a frog or a worm. The question is, what did the archbishop find?"

The Mouse did not notice this question, but hurriedly went on, "'—found it advisable to go with Edgar Atheling to meet William and offer him the crown. William's conduct at first was moderate. But the insolence of his Normans—' How are you getting on now, my dear?" it continued, turning to Alice as it spoke.

"As wet as ever," said Alice in a melancholy tone: "it doesn't seem to dry me at all."

"In that case," said the Dodo solemnly, rising to its feet, "I move that the meeting adjourn, for the immediate adoption of more energetic remedies—"

"Speak English!" said the Eaglet. "I don't know the meaning of half those long words, and, what's more, I don't believe you do either!" And the Eaglet bent down its head to hide a smile: some of the other birds tittered audibly.

"What I was going to say," said the Dodo in an offended tone, "was, that the best thing to get us dry would be a Caucus-race."

"What is a Caucus-race?" said Alice; not that she

che da tempo ormai si erano del tutto abituati ad aver a che fare con usurpatori e conquistatori. Edwin e Morcar, signori di Mercia e Northumbria... ''"

"Uff!" disse il Lorichetto, con un brivido.

"Chiedo scusa?" disse il Topo, aggrottando le sopracciglia, ma molto educatamente: "Avete detto qualcosa?".

"Non sono stato io!" disse il Lorichetto, di fretta.

"Mi era sembrato," disse il Topo, "...Vado avanti. 'Edwin e Morcar, i signori di Mercia e di Northumbria, si dichiararono a suo favore; e perfino Stigand, il patriottico arcivescovo di Canterbury, trovò la cosa molto opportuna...'"

"Trovò *che cosa*?" disse il Papero.

"Trovò *quella cosa*," rispose il Topo piuttosto seccato: "Saprete naturalmente che cosa intendo per '*quella cosa*'".

"Lo so benissimo cosa vuol dire '*quella cosa*' quando ne trovo una," disse il Papero, "di solito si tratta di una rana o di un verme. La domanda è, che cosa ha trovato l'arcivescovo?"

Il Topo non raccolse la domanda, e proseguì invece in tutta fretta: "'...Trovò molto opportuno unirsi a Edgar Atheling per andare da Gugliemo a offrirgli la corona. Il comportamento di Guglielmo fu sulle prime molto moderato. Ma l'insolenza dei suoi normanni...' E adesso come stai, carina?" proseguì rivolgendosi ora ad Alice.

"Bagnata come sempre," disse Alice con tono malinconico, "non mi pare di asciugarmi per niente!"

"In questo caso," disse solennemente il Dodo, alzandosi in piedi, "propongo di aggiornare la seduta, per l'immediata adozione di misure più energiche..."

"Parla come mangi!" disse l'Aquilotto. "La metà di quei tuoi paroloni io non so neanche cosa vogliano dire, e, oltretutto, non credo che lo sappia neanche tu!" E l'Aquilotto chinò il capo come a nascondere un sorrisetto: e qualcuno tra gli altri uccelli lo sentì ridacchiare.

"Quello che stavo per dire," disse il Dodo con tono risentito, "è che la cosa migliore per asciugarci tutti è una bella corsa per le primarie."

"*Che cosa è* una corsa per le primarie?" disse Alice; non

much wanted to know, but the Dodo had paused as if it thought that somebody ought to speak, and no one else seemed inclined to say anything.

"Why," said the Dodo, "the best way to explain it is to do it." (And, as you might like to try the thing yourself, some winter day, I will tell you how the Dodo managed it.)

First it marked out a race-course, in a sort of circle, ("the exact shape doesn't matter," it said), and then all the party were placed along the course, here and there. There was no "One, two, three, and away!" but they began running when they liked, and left off when they liked, so that it was not easy to know when the race was over. However, when they had been running half-an-hour or so, and were quite dry again, the Dodo suddenly called out, "The race is over!" and they all crowded round it, panting, and asking, "But who has won?"

This question the Dodo could not answer without a great deal of thought, and it stood for a long time with one finger pressed upon its forehead, (the position in which you usually see Shakespeare, in the pictures of him), while the rest waited in silence. At last the Dodo said "Everybody has won, and all must have prizes."

"But who is to give the prizes?" quite a chorus of voices asked.

"Why, she, of course," said the Dodo, pointing to Alice with one finger; and the whole party at once crowded round her, calling out, in a confused way, "Prizes! Prizes!"

Alice had no idea what to do, and in despair she put her hand in her pocket, and pulled out a box of comfits (luckily the salt water had not got into it), and handed them round as prizes. There was exactly one a-piece, all round.

"But she must have a prize herself, you know," said the Mouse.

che ci tenesse molto a saperlo, ma il Dodo aveva fatto una pausa come se si aspettasse che *qualcuno* dovesse parlare, ma nessun altro sembrava propenso a dire qualcosa.

"Be'," disse il Dodo, "il modo migliore di spiegarlo è quello di farla." (E se per caso avrete voglia di provarlo anche voi, in una qualche giornata d'inverno, vi dico subito come si è organizzato il Dodo.)

In primo luogo, tracciò il percorso della gara, in una specie di cerchio ("la forma precisa non ha importanza," disse) e poi tutti i presenti in gara vennero sistemati lungo il percorso, qua e là a caso. Non ci fu nessun "Un, due, tre... pronti... via!", e tutti cominciarono a correre quando ne avevano voglia, così che non era facile dire quando la corsa sarebbe finita. Comunque, dopo che ebbero corso una mezz'ora o giù di lì, e che tutti si furono ben asciugati, il Dodo improvvisamente gridò: "La corsa è finita!", e tutti gli si raccolsero attorno, ansimando, e chiedendo: "Ma chi è che ha vinto?".

A questa domanda il Dodo non poteva rispondere se non dopo profonda riflessione, e quindi rimase seduto per un bel po' di tempo, con un dito premuto sulla fronte (nell'atteggiamento in cui di solito vediamo Shakespeare, nei suoi ritratti), mentre tutti gli altri aspettavano in silenzio. Finalmente il Dodo disse: "Hanno vinto *tutti*, e tutti saranno premiati".

"Ma chi è che distribuirà i premi?" chiesero molte voci in coro.

"Ma come; *lei*, naturalmente," disse il Dodo, puntando un dito verso Alice; e tutta la compagnia si raccolse subito attorno a lei, gridando alla rinfusa: "I premi! I premi!".

Alice non aveva la minima idea di che cosa fare; finché, disperata, si mise una mano in tasca, e tirò fuori una scatola di confetti (per fortuna l'acqua salata non ci era arrivata) e li distribuì a tutti come premio. Ce n'era giusto uno per ciascuno.

"Ma guardate che un premio deve averlo anche lei," disse il Topo.

"Of course," the Dodo replied very gravely. "What else have you got in your pocket?" it went on, turning to Alice.

"Only a thimble," said Alice sadly.

"Hand it over here," said the Dodo.

Then they all crowded round her once more, while the Dodo solemnly presented the thimble, saying, "We beg your acceptance of this elegant thimble"; and, when it had finished this short speech, they all cheered.

Alice thought the whole thing very absurd, but they all looked so grave that she did not dare to laugh; and, as she could not think of anything to say, she simply bowed, and took the thimble, looking as solemn as she could.

The next thing was to eat the comfits: this caused some noise and confusion, as the large birds complained that they could not taste theirs, and the small ones choked and had to be patted on the back. However, it was over at last, and they sat down again in a ring, and begged the Mouse to tell them something more.

"You promised to tell me your history, you know," said Alice, "and why it is you hate—C and D," she added in a whisper, half afraid that it would be offended again.

"Mine is a long and a sad tale!" said the Mouse, turning to Alice, and sighing.

"It is a long tail, certainly," said Alice, looking down with wonder at the Mouse's tail; "but why do you call it sad?" And she kept on puzzling about it while the Mouse was speaking, so that her idea of the tale was something like this:—

"Certo," rispose il Dodo con tono di grande serietà. "Che cos'altro hai in tasca?" proseguì, rivolgendosi ad Alice.

"Un ditale e basta," disse Alice con voce triste.

"Dallo qui a me," disse il Dodo.

Poi tutti si affollarono di nuovo attorno a lei, mentre il Dodo le porgeva solennemente il ditale, dicendo: "La preghiamo di accettare questo elegante ditale". E una volta terminato questo discorsetto, tutti applaudirono.

Ad Alice tutto questo sembrava molto assurdo, ma tutti avevano un'aria così seria che non osò mettersi a ridere; e siccome non riusciva a pensare niente da dire, si limitò ad inchinarsi, e si prese il ditale, con l'aria più solenne possibile.

La successiva cosa da farsi poi, fu quella di mangiare i confetti. Questo provocò un po' di rumore e un po' di confusione, dato che gli uccelli più grandi si lamentavano di non riuscire a mangiarli, e a quelli più piccoli andavano invece di traverso e gli altri dovettero dar loro delle gran pacche sulla schiena. Comunque, superato alla fine anche questo, tutti tornarono a sedersi in cerchio e pregarono il Topo di raccontargli ancora qualcosa.

"Sa, lei mi aveva promesso di raccontarmi la sua storia," disse Alice, "e di dirmi perché odia... caniegatti," aggiunse a bassa voce, come per paura di offenderlo di nuovo.

"La mia storia è una lunga e triste coda!" disse il Topo, sospirando, rivolgendosi ad Alice.

"Una lunga coda *lo è* senz'altro," disse Alice, chinando lo sguardo con meraviglia sulla coda del Topo, "ma perché dice che è triste?" E continuò a chiederselo durante il discorso del Topo, così che l'idea della coda fu più o meno questa:

"Fury said to
a mouse, That
he met
in the
house,
'Let us
both go
to law:
I will
prosecute
you.—
Come, I'll
take no
denial;
We must
have a
trial:
For
really
this
morning
I've
nothing
to do.'
Said the
mouse to
the cur,
'Such a
trial,
dear sir,
With no
jury or
judge,
would be
wasting
our breath.'
'I'll be
judge,
I'll be
jury,'
Said
cunning
old Fury;
'I'll try
the whole
cause,
and
condemn
you
to
death."

"Disse Furia
a un topino
incontrato
in cantina:
'Andiamo subito
adesso
a fare un bel
processo:
io ti
querelerò,
e non accetto
che tu dica
di no;
davanti
a un giudice
una bella
udienza,
perché
davvero
stamane
non ho più
pazienza'.
Disse
il topo
al bastardino:
'Ma un processo
così,
mio bel
signorino,
senza giudice
o giuria,
è pura
follia'.
'Sarò io
il giudice,
sarò io
la giuria,'
disse,
furbo,
il vecchio Furia,
'io condurrò
il processo
dal principio
alla fine
e tu,
da me
giudicato
a morte
sarai
condannato.'"[2]

"You are not attending!" said the Mouse to Alice, severely. *"What are you thinking of?"*

"I beg your pardon," said Alice very humbly: *"you had got to the fifth bend, I think?"*

"I had not!" cried the Mouse, sharply and very angrily.

"A knot!" said Alice, already to make herself useful, and looking anxiously about her. *"Oh, do let me help to undo it!"*

"I shall do nothing of the sort," said the Mouse, getting up and walking away. *"You insult me by talking such nonsense!"*

"I didn't mean it!" pleaded poor Alice. *"But you're so easily offended, you know!"*

The Mouse only growled in reply.

"Please come back, and finish your story!" Alice called after it. And the others all joined in chorus *"Yes, please do!"* But the Mouse only shook its head impatiently, and walked a little quicker.

"What a pity it wouldn't stay!" sighed the Lory, as soon as it was quite out of sight. And an old Crab took the opportunity of saying to her daughter, *"Ah, my dear! Let this be a lesson to you never to lose* your *temper!"* *"Hold your tongue, Ma!"* said the young Crab, a little snappishly. *"You're enough to try the patience of an oyster!"*

"I wish I had our Dinah here, I know I do!" said Alice aloud, addressing nobody in particular. *"She'd soon fetch it back!"*

"And who is Dinah, if I might venture to ask the question?" said the Lory.

Alice replied eagerly, for she was always ready to talk about her pet: *"Dinah's our cat. And she's such a capital one for catching mice, you can't think! And oh, I wish you could see her after the birds! Why, she'll eat a little bird as soon as look at it!"*

This speech caused a remarkable sensation among

"Ma tu non stai attenta!" disse il Topo ad Alice con aria severa. "A che cosa stai pensando?"

"Le chiedo scusa," disse Alice in tutta modestia: "lei è arrivato alla quinta curva, mi pare".

"Non c'era *nessuna* curva!" gridò il Topo, molto arrabbiato e con tono aspro.

"Un nodo allora!"disse Alice, sempre pronta a rendersi utile, guardandosi attorno tutta preoccupata. "Oh, lasci che la aiuti a scioglierlo!"

"Non farò niente del genere," disse il Topo, alzandosi in piedi e allontanandosi. "E tu mi offendi, con le sciocchezze che dici!"

"Non era mia intenzione!" si difese la povera Alice. "Però lei si offende un po' troppo facilmente, sa!"

Per tutta risposta il Topo si limitò a un grugnito.

"Per favore, torni qui e finisca la sua storia!" gli gridò dietro Alice; e tutti gli altri si unirono in coro: "Sì, per favore!", ma il Topo scosse la testa con fastidio, e si allontanò camminando un po' più in fretta.

"Che peccato che non sia rimasto!" sospirò il Lorichetto, non appena quello sparì alla vista; e un vecchio Gambero femmina colse l'occasione per dire a sua figlia: "Ah, tesoro! Ti serva questo di lezione per non perdere *mai* la pazienza!". "Ma sta' zitta, mamma!" disse la Gamberetta, un po' seccata. "Sei tu che faresti perdere la pazienza anche a un'ostrica!"

"Vorrei tanto che ci fosse qui la nostra Dina, davvero!" disse Alice ad alta voce, senza rivolgersi a nessuno in particolare. "Lei lo riporterebbe subito indietro!"

"E chi è questa Dina, se posso permettermi di rivolgerti una tale domanda?" disse il Lorichetto.

Alice rispose di buon grado, perché era sempre ben disposta a parlare della sua bella gattina: "Dina è la nostra gatta. Ed è di una tal fenomenale bravura a prendere topi che voi non ve lo immaginate neanche! Oh, vorrei che poteste vederla, quando sta dietro agli uccelli! Be', vedere un uccellino e mangiarlo per lei è un tutt'uno".

Queste parole fecero una notevole sensazione in tutti i

the party. Some of the birds hurried off at once: one old Magpie began wrapping itself up very carefully, remarking, "I really must be getting home: the night-air doesn't suit my throat!" and a Canary called out in a trembling voice, to its children, "Come away, my dears! It's high time you were all in bed!" On various pretexts they all moved off, and Alice was soon left alone.

"I wish I hadn't mentioned Dinah!" she said to herself in a melancholy tone. "Nobody seems to like her, down here, and I'm sure she's the best cat in the world! Oh, my dear Dinah! I wonder if I shall ever see you any more!" And here poor Alice began to cry again, for she felt very lonely and low-spirited. In a little while, however, she again heard a little pattering of footsteps in the distance, and she looked up eagerly, half hoping that the Mouse had changed his mind, and was coming back to finish his story.

presenti. Qualcuno tra gli uccelli scappò subito via; uno, una vecchia Gazza, cominciò a sistemarsi le penne con grande cura, osservando che "Davvero, è meglio che vada a casa; l'aria della notte non va bene per la mia gola!" e una Canarina chiamò a raccolta con voce tremante i suoi piccoli: "Andiamo via, tesorucci! A quest'ora dovreste essere già a letto!". Con varie scuse tutti se ne andarono, e Alice ben presto fu lasciata sola.

"Era meglio se non tiravo in ballo Dina!" si disse con tono malinconico. "Sembra che qui non piaccia a nessuno, e io invece sono sicura che è la migliore gattina al mondo! Oh, mia cara Dina! Chissà se ti rivedrò mai più!" E qui la povera Alice ricominciò a piangere, perché si sentiva sola e giù di morale. Ma dopo un po', tuttavia, udì di nuovo uno scalpiccio di passi in lontananza, e alzò lo sguardo incuriosita, quasi sperando che il Topo avesse cambiato idea, e stesse tornando lì a finire la sua storia.

IV
The Rabbit Sends in a Little Bill

It was the White Rabbit, trotting slowly back again, and looking anxiously about as it went, as if it had lost something; and she heard it muttering to itself, "The Duchess! The Duchess! Oh my dear paws! Oh my fur and whiskers! She'll get me executed, as sure as ferrets are ferrets! Where can I have dropped them, I wonder?" Alice guessed in a moment that it was looking for the fan and the pair of white kid gloves, and she very good-naturedly began hunting about for them, but they were nowhere to be seen—everything seemed to have changed since her swim in the pool, and the great hall, with the glass table and the little door, had vanished completely.

Very soon the Rabbit noticed Alice, as she went hunting about, and called out to her, in an angry tone, "Why, Mary Ann, what are you doing out here? Run home this moment, and fetch me a pair of gloves and a fan! Quick, now!" And Alice was so much frightened that she ran off at once in the direction it pointed to, without trying to explain the mistake that it had made.

"He took me for his housemaid," she said to herself as she ran. "How surprised he'll be when he finds out who I am! But I'd better take him his fan and gloves—that is, if I can find them." As she said this, she came upon a neat little house, on the door of which was a bright brass plate with the name "W. RABBIT," engraved upon it. She went in without knocking, and hurried upstairs, in great fear lest she

IV

Il Coniglio manda avanti un piccolo Bill

Era il Coniglio, che stava tornando indietro al piccolo trotto, guardandosi attorno ansiosamente come se avesse perso qualcosa; e Alice lo sentì brontolare tra sé e sé: "La Duchessa! La Duchessa! Oh, le mie povere zampe! Oh, la mia pelliccia e i miei baffoni! Mi condannerà a morte, come è vero che i furetti son sempre furetti. Ma *dove* posso averli messi, vorrei sapere!". Alice capì subito che lui stava cercando il ventaglio e i guanti bianchi di capretto, e premurosamente si mise anche lei alla ricerca, guardandosi attorno, ma non li vide da nessuna parte... e tutto sembrava essere cambiato dopo la sua nuotata nello stagno, e la grande sala, con il tavolo di vetro e la porticina, erano spariti del tutto.

Ben presto il Coniglio si accorse di Alice, che continuava la sua ricerca tutt'intorno, e le gridò, tutto arrabbiato: "Ma insomma, Marianna, che *fai* qui? Corri subito a casa e portami un paio di guanti e un ventaglio! Muoviti! In fretta!". E Alice ne fu così spaventata che subito corse via nella direzione che il Coniglio aveva indicato, senza neanche cercar di spiegargli l'errore che aveva fatto.

"Mi ha preso per la sua governante," si disse correndo via. "Che sorpresa sarà per lui quando si accorgerà di chi sono davvero! Ma è meglio che gli porti il suo ventaglio e i suoi guanti... ammesso che riesca a trovarli." Come disse questo, arrivò davanti a una bella casetta, con sulla porta una targa d'ottone tutta lucida con inciso il nome B. CONIGLIO. Alice entrò senza neanche bussare, e corse di sopra, piena

should meet the real Mary Ann, and be turned out of the house before she had found the fan and gloves.

"How queer it seems," Alice said to herself, "to be going messages for a rabbit! I suppose Dinah'll be sending me on messages next!" And she began fancying the sort of thing that would happen: "'Miss Alice! Come here directly, and get ready for your walk!' 'Coming in a minute, nurse! But I've got to watch this mouse-hole till Dinah comes back, and see that the mouse doesn't get out.' Only I don't think," Alice went on, "that they'd let Dinah stop in the house if it began ordering people about like that!"

By this time she had found her way into a tidy little room with a table in the window, and on it (as she had hoped) a fan and two or three pairs of tiny white kid gloves: she took up the fan and a pair of the gloves, and was just going to leave the room, when her eye fell upon a little bottle that stood near the looking-glass. There was no label this time with the words "DRINK ME," but nevertheless she uncorked it and put it to her lips. "I know something interesting is sure to happen," she said to herself, "whenever I eat or drink anything: so I'll just see what this bottle does. I do hope it'll make me grow large again, for really I'm quite tired of being such a tiny little thing!"

*
* *
* * *

It did so indeed, and much sooner than she had expected: before she had drunk half the bottle, she found her head pressing against the ceiling, and had to stoop to save her neck from being broken. She hastily put down the bottle, saying to herself, "That's quite enough—I hope I shan't grow any more—As it is, I can't get out at the door—I do wish I hadn't drunk quite so much!"

di paura all'idea di incontrare la vera Marianna, e di essere magari sbattuta fuori di casa prima di aver trovato il ventaglio e i guanti.

"Che strana cosa," si disse Alice, "dover fare delle commissioni per un coniglio. Scommetto che anche Dina, adesso, mi darà qualcosa da fare!" E prese a immaginare che razza di cose avrebbero potuto succederle: "'Signorina Alice, venga qui subito e si prepari per la passeggiata!' 'Un attimo solo, tata! Devo star qui a far la guardia a questa tana di topo, finché Dina non torna, e stare attenta che il topo non scappi via.' Solo che non penso," proseguì Alice, "che lascerebbero Dina restare a casa, se cominciasse a comandare la gente in questo modo!".

Nel frattempo si era fatta strada fino a una bella stanzetta tutta ben ordinata con un tavolino davanti a una finestra, sul quale c'erano (come aveva sperato) un ventaglio e due o tre paia di piccoli guanti di capretto; Alice prese su il ventaglio e un paio di guanti, e stava proprio per uscire dalla stanza quando gli occhi le caddero su una piccola bottiglia che stava accanto a uno specchio. Stavolta non c'era nessuna etichetta con su scritto BEVIMI, ma lei la stappò lo stesso e se la portò alle labbra. "So benissimo che mi capita *qualcosa* di interessante," disse a se stessa, "ogni volta che mangio o bevo qualsiasi cosa: e adesso voglio proprio vedere che cosa fa questa bottiglia. Spero che mi faccia ridiventare grande, perché sono veramente stufa di essere una cosina così piccola!"

*
* *
* * *

In effetti fu proprio così, e molto prima di quanto Alice si aspettasse: non era neanche arrivata a metà della bottiglia, che si ritrovò a battere la testa contro il soffitto, e dovette chinarsi per non rischiare di rompersi il collo. Mise giù la bottiglia in tutta fretta, pensando: "Va bene così... non voglio dover crescere di più... Già a questo punto non riesco a passare dalla porta... Vorrei davvero non aver bevuto così tanto!".

Alas! It was too late to wish that! She went on growing and growing, and very soon had to kneel down on the floor: in another minute there was not even room for this, and she tried the effect of lying down with one elbow against the door, and the other arm curled round her head. Still she went on growing, and, as a last resource, she put one arm out of the window, and one foot up the chimney, and said to herself, "Now I can do no more, whatever happens. What will become of me?"

Luckily for Alice, the little magic bottle had now had its full effect, and she grew no larger: still it was very uncomfortable, and, as there seemed to be no sort of chance of her ever getting out of the room again, no wonder she felt unhappy.

"It was much pleasanter at home," thought poor Alice, "when one wasn't always growing larger and smaller, and being ordered about by mice and rabbits. I almost wish I hadn't gone down that rabbit-hole—and yet—and yet—it's rather curious, you know, this sort of life! I do wonder what can have happened to me! When I used to read fairy tales, I fancied that kind of thing never happened, and now here I am in the middle of one! There ought to be a book written about me, that there ought! And when I grow up, I'll write one—but I'm grown up now," she added in a sorrowful tone: "at least there's no room to grow up any more here."

"But then," thought Alice, "shall I never get any older than I am now? That'll be a comfort, one way—never to be an old woman—but then—always to have lessons to learn! Oh, I shouldn't like that!"

"Oh, you foolish Alice!" she answered herself. " How can you learn lessons in here? Why, there's hardly room for you, and no room at all for any lesson-books!"

And so she went on, taking first one side and then the other, and making quite a conversation of it

Ahimè! Un desiderio arrivato troppo tardi! Alice continuò a crescere e a crescere, e ben presto dovette mettersi in ginocchio; e dopo un minuto non c'era più posto neanche per questo, e allora provò a sdraiarsi con un gomito contro la porta, e l'altro braccio piegato attorno alla testa. Ma siccome continuava a crescere, infilò un braccio fuori della finestra, e un piede su per il camino, e si disse: "Più di così non posso fare, qualsiasi cosa succeda. Che cosa *sarà* di me?".

Per fortuna, la bottiglietta aveva ormai esaurito il suo potere magico, e Alice smise di crescere: ma stava comunque molto scomoda, e siccome sembrava che per lei non ci fosse più nessuna possibilità di uscire da quella stanza, non c'è da meravigliarsi che si sentisse infelice.

"Era molto meglio a casa mia," pensò Alice, "dove né si seguita a diventare più grande o più piccolo, né si ricevono ordini da topi e conigli. Quasi quasi vorrei non essermi mai infilata in quella tana di coniglio... anche se... anche se... ecco: questo tipo di vita è piuttosto curioso! Mi domando *che cosa* può essermi successo! Quando leggevo libri di fiabe, mi immaginavo che fossero tutte cose mai successe, e adesso invece eccomi qui proprio nel bel mezzo di una fiaba! Ci vorrebbe qualcuno che scrivesse un libro su di me, ecco quel che ci vorrebbe! E quando sarò grande lo scriverò io... ma qui sono già grande," aggiunse con voce triste, "e comunque *qui* non c'è spazio per crescere ancora.

"Ma allora," pensò Alice, "non diventerò *mai* vecchia più di adesso? Sarebbe una bella consolazione, in un certo senso... non essere mai una donna vecchia... ma poi... aver sempre quelle lezioni da studiare! Oh, non mi piace neanche questo!

"Oh, stupidina che non sei altro!" rispose Alice a se stessa. "Come potresti dover preparare delle lezioni qui dentro? Ma come!, c'è appena appena posto per te, come vuoi che ci sia posto per dei libri di scuola!"

E così andò avanti, esaminando prima un lato della questione poi l'altro, e facendo del tutto una vera e propria

altogether; but after a few minutes she heard a voice outside, and stopped to listen.

"Mary Ann! Mary Ann!" said the voice. "Fetch me my gloves this moment!" Then came a little pattering of feet on the stairs. Alice knew it was the Rabbit coming to look for her, and she trembled till she shook the house, quite forgetting that she was now about a thousand times as large as the Rabbit, and had no reason to be afraid of it.

Presently the Rabbit came up to the door, and tried to open it; but, as the door opened inwards, and Alice's elbow was pressed hard against it, that attempt proved a failure. Alice heard it say to itself, "Then I'll go round and get in at the window."

"That *you* won't!" thought Alice, and, after waiting till she fancied she heard the Rabbit just under the window, she suddenly spread out her hand, and made a snatch in the air. She did not get hold of anything, but she heard a little shriek and a fall, and a crash of broken glass, from which she concluded that it was just possible it had fallen into a cucumber-frame, or something of the sort.

Next came an angry voice—the Rabbit's—"Pat! Pat! Where are you?" And then a voice she had never heard before, "Sure then I'm here! Digging for apples, yer honour!"

"Digging for apples, indeed!" said the Rabbit angrily. "Here! Come and help me out of this!" (Sounds of more broken glass.)

"Now tell me, Pat, what's that in the window?"

"Sure, it's an arm, yer honour!" (He pronounced it "arrum.")

"An arm, you goose! Who ever saw one that size? Why, it fills the whole window!"

"Sure, it does, yer honour: but it's an arm for all that."

"Well, it's got no business there, at any rate: go and take it away!"

There was a long silence after this, and Alice could

discussione; ma pochi minuti dopo sentì una voce da fuori e si fermò ad ascoltare.

"Marianna! Marianna!" diceva la voce. "Portami qui subito i miei guanti!" Poi ecco un piccolo scalpiccio sulle scale. Alice sapeva che era il Coniglio che veniva in cerca di lei, e si mise a tremare fino a che ne scosse tutta la casa, dimenticandosi del fatto che adesso lei era circa mille volte più grande del Coniglio, e non aveva nessun motivo di aver paura di lui.

A quel punto il Coniglio arrivò alla porta, e cercò di aprirla; ma siccome la porta si apriva verso l'interno, e il gomito di Alice vi era premuto contro con forza, il suo tentativo fece fiasco. Alice lo sentì dire tra sé: "Vuol dire che girerò intorno ed entrerò dalla finestra".

"*Non* ce la farai!" pensò Alice; e dopo aver aspettato finché le sembrò di sentire il Coniglio proprio sotto la finestra, improvvisamente aprì la mano e tentò una presa nell'aria. Non afferrò niente, ma sentì un piccolo grido acuto e qualcosa che cadeva, e un rumore come di un vetro rotto, per cui concluse che probabilmente il Coniglio era caduto sulla copertura di una serra, o qualcosa del genere.

Subito si sentì una voce rabbiosa – era il Coniglio –: "Pat! Pat! Dove sei?". E poi un'altra voce che Alice non aveva mai sentito prima. "Son qui, dove vuol che sia? A raccoglier mele, generalle!"

"A raccoglier mele, come no!" disse il Coniglio con tono rabbioso. "Vieni qui! Aiutami a tirarmi fuori!" (Rumori di altri vetri rotti.)

"Dimmi una cosa, Pat, che cos'è quella roba nella finestra?"

"Senz'altro un braccio, generalle!" (Pronunciava "generale" con due "elle".)

"Un braccio, somaro che non sei altro! Chi l'ha mai visto un braccio così grande? Diamine: riempie tutta la finestra!"

"È vero che è vero, generalle; ma è un braccio lo stesso."

"Be', qui comunque non c'entra niente; va' a tirarlo via!"

Dopo di che vi fu un lungo silenzio, e Alice non riuscì

only hear whispers now and then; such as "Sure, I don't like it, yer honour, at all, at all!" "Do as I tell you, you coward!" and at last she spread out her hand again and made another snatch in the air. This time there were two little shrieks, and more sounds of broken glass. "What a number of cucumber-frames there must be!" thought Alice. "I wonder what they'll do next! As for pulling me out of the window, I only wish they could! I'm sure I don't want to stay in here any longer!"

She waited for some time without hearing anything more: at last came a rumbling of little cart-wheels, and the sound of a good many voices all talking together: she made out the words: "Where's the other ladder?—Why, I hadn't to bring but one. Bill's got the other—Bill! Fetch it here, lad!—Here, put 'em up at this corner—No, tie 'em together first—they don't reach half high enough yet—Oh, they'll do well enough. Don't be particular—Here, Bill! Catch hold of this rope —Will the roof bear?—Mind that loose slate—Oh, it's coming down! Heads below!" (a loud crash)—"Now, who did that?—It was Bill, I fancy—Who's to go down the chimney?—Nay, I shan't! You do it!—That I won't, then!—Bill's got to go down—Here, Bill! The master says you've got to go down the chimney!"

"Oh! So Bill's got to come down the chimney, has he?" said Alice to herself. "Why, they seem to put everything upon Bill! I wouldn't be in Bill's place for a good deal; this fireplace is narrow, to be sure; but I think I can kick a little!"

She drew her foot as far down the chimney as she could, and waited till she heard a little animal (she couldn't guess of what sort it was) scratching and scrambling about in the chimney close above her: then, saying to herself "This is Bill," she gave one sharp kick, and waited to see what would happen next.

The first thing she heard was a general chorus of "There goes Bill!" then the Rabbit's voice alone—"Catch

più a sentir altro che dei sussurri di tanto in tanto, come: "Sicuro, non è che mi piaccia, generalle, per niente, per niente!", "Fai come ti dico, fifone!" e a un certo punto lei sporse di nuovo in fuori la mano aperta e di nuovo la strinse a pugno nell'aria. Stavolta gli strilli acuti furono due, e si udirono altri rumori di vetri rotti. "Ci devono essere un sacco di serre," pensò Alice. "E chissà cosa faranno adesso! Quanto a tirarmi fuori dalla finestra, spero *proprio* che ce la facciano! Non ho nessuna voglia di continuare a star qui!"

Aspettò per qualche tempo senza sentire nient'altro; fino a che non si udì un cigolio di carrette, e il suono di un bel po' di voci che parlavano tutte insieme; riuscì comunque a cogliere queste parole: "Dov'è l'altra scala? – Ma come: dovevo portarne una sola. L'altra se l'è presa Bill – Bill! Portala qui, accidenti a te! – Qui, appoggiatele su in quell'angolo – No, prima legatele insieme – Non arrivano a metà strada neanche così – Oh, andranno benissimo. Non far tanto il pignolo – A te, Bill! Tieni stretta questa corda – Ma dici che il tetto regge? – Attento a quella tegola malmessa – Oh, sta venendo giù! Attenti alla testa!" (forte schianto) "Be', e qui chi è stato? – È stato Bill, immagino – Chi è che va giù per il camino? – No, *io* no. *Tu*, vacci! – *Questo*, io no! – Bisogna che ci vada Bill – Ehi, Bill, il padrone ha detto che devi andar giù per il camino!".

"Oh, allora Bill deve venir giù per il camino, vero?" disse Alice dentro di sé. "Però, sembra che facciano fare tutto a Bill! Non vorrei essere al posto di Bill per un bel po'; il focolare è proprio stretto, altro che; ma *credo* di potermi aiutare con un piede!"

Spinse il piede giù per il camino per quanto le fu possibile, e rimase in attesa finché non sentì una bestiolina (non riuscì a capire di che tipo fosse) che grattava e scalciava nella canna fumaria proprio vicino a lei: poi, pensando "Questo è Bill", diede un bel calcio secco e aspettò a vedere che cosa sarebbe successo.

La prima cosa che udì fu un coro generale di "Ecco Bill che va!", poi la voce del Coniglio da sola: "Prendetelo, voi

him, you by the hedge!" then silence, and then another confusion of voices—"Hold up his head—Brandy now—Don't choke him—"How was it, old fellow? What happened to you? Tell us all about it!"

Last came a little feeble, squeaking voice. ("That's Bill," thought Alice), "Well, I hardly know—No more, thank ye; I'm better now—but I'm a deal too flustered to tell you—all I know is, something comes at me like a Jack-in-the-box, and up I goes like a sky-rocket!"

"So you did, old fellow!" said the others.

"We must burn the house down!" said the Rabbit's voice, and Alice called out as loud as she could, "If you do, I'll set Dinah at you!"

There was a dead silence instantly, and Alice thought to herself, "I wonder what they will do next! If they had any sense, they'd take the roof off." After a minute or two, they began moving about again, and Alice heard the Rabbit say, "A barrowful will do, to begin with."

"A barrowful of what?" thought Alice. But she had not long to doubt, for the next moment a shower of little pebbles came rattling in at the window, and some of them hit her in the face. "I'll put a stop to this," she said to herself and shouted out, "You'd better not do that again!" which produced another dead silence.

Alice noticed, with some surprise, that the pebbles were all turning into little cakes as they lay on the floor, and a bright idea came into her head. "If I eat one of these cakes," she thought, "it's sure to make some change in my size; and, as it can't possibly make me larger, it must make me smaller, I suppose."

So she swallowed one of the cakes,

* * *
* *
*

che siete lì vicino!", poi silenzio, poi altre voci confuse: "Tenetegli su la testa – Un po' di brandy – Non soffocatelo – Com'è andata, amico? Che cosa ti è successo? Raccontaci bene tutto!".

Da ultimo si sentì una debole vocina stridula. ("Questo è Bill," pensò Alice.) "Be', non saprei neanch'io... Basta, grazie; adesso sto meglio... ma sono ancora un po' via di testa per dirvi tutto... Quel che so, è che a un certo punto mi salta addosso qualcosa come un pupazzo a molla, e via che parto come un razzo!"

"È proprio quel che ti è successo, caro mio!" dissero gli altri.

"Bisogna bruciare la casa!" disse la voce del Coniglio, e Alice gridò più forte che poteva: "Se lo fate, vi mando dietro Dina!".

Immediatamente seguì un silenzio mortale, e Alice pensò tra di sé: "Chissà che cosa faranno adesso! Se avessero un minimo di buonsenso, tirerebbero via il tetto". Dopo uno o due minuti, quelli ricominciarono a darsi da fare, e Alice sentì il Coniglio che diceva: "Basterà una carrettata, tanto per cominciare".

"Una carrettata *di che cosa*?" pensò Alice. Ma non ebbe neanche il tempo di chiederselo, perché subito una grandinata di sassolini crepitò contro la finestra e qualche sassolino la colpì in faccia. "Adesso li faccio finire io," si disse, e si mise a gridare: "Guai a voi se lo fate un'altra volta!". Il che produsse un altro momento di silenzio mortale.

Alice si accorse, non senza sorpresa, che i sassolini, come toccavano il pavimento, si trasformavano in tanti piccoli dolci, e le venne in testa una bella idea. "Se mangio uno di questi dolcini," pensò, "certamente succederà *qualcosa* alla mia statura; e siccome non è possibile che mi facciano diventare più grande, per forza mi faranno diventare più piccola, suppongo."

E così inghiottì un dolcino,

* * *
* *
*

and was delighted to find that she began shrinking directly. As soon as she was small enough to get through the door, she ran out of the house, and found quite a crowd of little animals and birds waiting outside. The poor little Lizard, Bill, was in the middle, being held up by two guinea-pigs, who were giving it something out of a bottle. They all made a rush at Alice the moment she appeared; but she ran off as hard as she could, and soon found herself safe in a thick wood.

"The first thing I've got to do," said Alice to herself, as she wandered about in the wood, "is to grow to my right size again; and the second thing is to find my way into that lovely garden. I think that will be the best plan."

It sounded an excellent plan, no doubt, and very neatly and simply arranged: the only difficulty was, that she had not the smallest idea how to set about it; and while she was peering about anxiously among the trees, a little sharp bark just over her head made her look up in a great hurry.

An enormous puppy was looking down at her with large round eyes, and feebly stretching out one paw, trying to touch her. "Poor little thing!" said Alice, in a coaxing tone, and she tried hard to whistle to it; but she was terribly frightened all the time at the thought that it might be hungry, in which case it would be very likely to eat her up in spite of all her coaxing.

Hardly knowing what she did, she picked up a little bit of stick, and held it out to the puppy: whereupon the puppy jumped into the air off all its feet at once, with a yelp of delight, and rushed at the stick, and made believe to worry it: then Alice dodged behind a great thistle, to keep herself from being run over; and, the moment she appeared on the other side, the puppy made another rush at the stick, and tumbled head over heels in its hurry to get hold of it: then Alice, thinking it was very like having a game of play with a cart-horse, and expecting every

e fu felice di scoprire che si stava rimpicciolendo a vista d'occhio. Non appena fu piccola abbastanza da passare dalla porta, corse fuori e si trovò di fronte una vera e propria folla di animaletti e di uccellini tutti lì ad aspettare. Il povero Lucertolino, Bill, era lì in mezzo, sostenuto da due porcellini d'India, che gli stavano facendo bere qualcosa da una bottiglia. Tutti si precipitarono verso Alice, non appena la videro; ma lei corse via più in fretta che poteva, e ben presto si trovò in salvo in una fitta boscaglia.

"La prima cosa da fare," si disse Alice, aggirandosi per il bosco, "è quella di tornare alle mie dimensioni normali; e la seconda cosa è trovare il modo di raggiungere quel bellissimo giardino. Credo che questo sia il piano migliore."

Aveva tutta l'aria di essere un ottimo piano, senza dubbio, progettato in modo chiaro e semplice; l'unico problema era il fatto che lei non aveva la più pallida idea di come tradurlo in pratica; e stava guardandosi attorno con circospezione tra gli alberi, quando un debole latrato stridulo proprio sopra la sua testa le fece alzare gli occhi di gran fretta.

Un cucciolo enorme stava guardando giù verso di lei, con due grandi occhi rotondi, allungando a fatica una zampa, come a cercare di toccarla. "Povero piccolo," disse Alice con tono compassionevole, e si sforzò a fischiare come a mettersi in contatto con lui; ma era terribilmente spaventata all'idea che quello potesse essere affamato, nel qual caso se la sarebbe molto probabilmente mangiata in un boccone, malgrado tutta la sua compassione.

Senza neanche saper bene quel che faceva, Alice raccolse un bastoncino, e lo puntò contro il cucciolo; al che il cucciolo fece un salto in aria con tutte le zampe, con un gridolino di gioia, e si buttò verso il bastoncino, dando l'impressione di volerci giocare; allora Alice, per evitare di essere travolta, si rifugiò dietro un cardo; ma come riapparve dall'altra parte, il cucciolo fece un altro scatto verso il bastoncino, e nella smania di afferrarlo finì a rotoloni; allora Alice, pensando che sarebbe stato come giocare con un cavallo da tiro, e aspettandosi da un momento all'altro

moment to be trampled under its feet, ran round the thistle again: then the puppy began a series of short charges at the stick, running a very little way forwards each time and a long way back, and barking hoarsely all the while, till at last it sat down a good way off, panting, with its tongue hanging out of its mouth, and its great eyes half shut.

This seemed to Alice a good opportunity for making her escape: so she set off at once, and ran till she was quite tired and out of breath, and till the puppy's bark sounded quite faint in the distance.

"And yet what a dear little puppy it was!" said Alice, as she leant against a buttercup to rest herself, and fanned herself with one of the leaves. "I should have liked teaching it tricks very much, if—if I'd only been the right size to do it! Oh dear! I'd nearly forgotten that I've got to grow up again! Let me see—how is it to be managed? I suppose I ought to eat or drink something or other; but the great question is, 'What'?"

The great question certainly was, "What?" Alice looked all round her at the flowers and the blades of grass, but she could not see anything that looked like the right thing to eat or drink under the circumstances. There was a large mushroom growing near her, about the same height as herself: and, when she had looked under it, and on both sides of it, and behind it, it occurred to her that she might as well look and see what was on the top of it.

She stretched herself up on tiptoe, and peeped over the edge of the mushroom, and her eyes immediately met those of a large blue caterpillar, that was sitting on the top, with its arms folded, quietly smoking a long hookah, and taking not the smallest notice of her or of anything else.

di finire calpestata da quelle zampe, corse di nuovo dietro il cardo; e allora il cucciolo diede inizio a tutta una serie di piccoli assalti al bastoncino, ogni volta avvicinandosi sempre di più, e sempre abbaiando con voce roca, finché alla fine si accucciò abbastanza lontano, ansimando, con la lingua fuori, e i grandi occhi semichiusi.

Questa sembrò ad Alice una buona occasione per mettersi in salvo; e così fece subito, e corse via fino a che non si sentì stanca e senza fiato, e fino a che l'abbaiare del cucciolo non suonò debole e lontano.

"Però, che bel cucciolo simpatico era!" disse Alice, appoggiandosi a un ranuncolo per riposarsi, e facendosi aria con una delle sue foglie: "Mi sarebbe piaciuto insegnargli a giocare, se soltanto – se soltanto fossi stata delle giuste dimensioni per farlo! Oh dio! Mi ero quasi dimenticata che devo assolutamente tornare a crescere! Ma vediamo un po'... come è che devo fare? Immagino che dovrei mangiare o bere un qualcosa o un qualcos'altro; ma il grande problema è: che cosa?".

Il grande problema era certamente "Che cosa?". Alice guardò tutto attorno a lei i fiori e i fili d'erba, ma non vide niente che avesse l'aria di essere la giusta cosa da mangiare o da bere date le circostanze. Vicino a lei c'era un grande fungo, più o meno alto come lei; e una volta che ebbe guardato sotto di lui, e alla sua destra e alla sua sinistra, e dietro di lui, le capitò di pensare che alla stessa stregua avrebbe potuto guardare che cosa c'era sopra di lui.

Alice si alzò in punta di piedi, e ispezionò la cappella del fungo, e immediatamente il suo sguardo incontrò quello di un grosso bruco, che se ne stava seduto lì in cima con le braccia conserte, tranquillamente fumando un lungo narghilè, senza degnare della minima attenzione né lei né nient'altro al mondo.

V

Advice from a Caterpillar

The Caterpillar and Alice looked at each other for some time in silence: at last the Caterpillar took the hookah out of its mouth, and addressed her in a languid, sleepy voice.

"Who are You?" said the Caterpillar.

This was not an encouraging opening for a conversation. Alice replied, rather shyly, "I—I hardly know, Sir, just at present—at least I know who I was when I got up this morning, but I think I must have been changed several times since then."

"What do you mean by that?" said the Caterpillar, sternly. "Explain yourself!"

"I can't explain myself, *I'm afraid, Sir," said Alice, "because I'm not myself, you see."*

"I don't see," said the Caterpillar.

"I'm afraid I can't put it more clearly," Alice replied very politely, "for I can't understand it myself, to begin with; and being so many different sizes in a day is very confusing."

"It isn't," said the Caterpillar.

"Well, perhaps you haven't found it so yet," said Alice; "but when you have to turn into a chrysalis—you will some day, you know—and then after that into a butterfly, I should think you'll feel it a little queer, won't you?"

"Not a bit," said the Caterpillar.

V

Il consiglio di un Bruco

Il Bruco e Alice si guardarono l'un l'altra per qualche tempo in silenzio; ma a un certo punto il Bruco si tolse il narghilè dalla bocca, e le si rivolse con voce languida e assonnata.

"E *tu* chi sei?" disse il Bruco.

Non era un inizio incoraggiante per una conversazione. Alice rispose, piuttosto timida: "Io... non saprei dire, signore, per il momento... però so che cosa *ero* quando mi sono svegliata stamattina, ma credo che da allora mi sono cambiata molte volte".

"Come sarebbe a dire?" disse il Bruco con aria severa. "Spiegati meglio."

"Non posso spiegarmi *meglio*, signore," disse Alice, "perché vede: non sono me stessa."

"Non vedo un bel niente," disse il Bruco.

"Ho paura di non potermi spiegare meglio," rispose Alice molto educatamente, "perché tanto per cominciare, non lo capisco nemmeno io; e ci si confonde molto a essere di così tante stature diverse in uno stesso giorno."

"Non è vero," disse il Bruco.

"Be', forse non le è ancora capitato," disse Alice, "ma il giorno in cui si dovrà trasformare in una crisalide – perché sa: le succederà senz'altro – e poi dopo in una farfalla, credo che anche lei si sentirà un po' strano, non le pare?"

"Ma neanche per sogno," disse il Bruco.

"Well, perhaps your *feelings* may be different," said Alice: "all I know is, it would feel very queer to me."

"You!" said the Caterpillar contemptuously. "Who are you?"

Which brought them back again to the beginning of the conversation. Alice felt a little irritated at the Caterpillar's making such very short remarks, and she drew herself up and said, very gravely, "I think you ought to tell me who you are, first."

"Why?" said the Caterpillar.

Here was another puzzling question; and, as Alice could not think of any good reason, and the Caterpillar seemed to be in a very unpleasant state of mind, she turned away.

"Come back!" the Caterpillar called after her. "I've something important to say!"

This sounded promising, certainly. Alice turned and came back again.

"Keep your temper," said the Caterpillar.

"Is that all?" said Alice, swallowing down her anger as well as she could.

"No," said the Caterpillar.

Alice thought she might as well wait, as she had nothing else to do, and perhaps after all it might tell her something worth hearing. For some minutes it puffed away without speaking; but at last it unfolded its arms, took the hookah out of its mouth again, and said, "So you think you're changed, do you?"

"I'm afraid I am, Sir," said Alice. "I can't remember things as I used—and I don't keep the same size for ten minutes together!"

"Can't remember what *things*?" said the Caterpillar.

"Well, I've tried to say 'How doth the little busy bee,' but it all came different!" Alice replied in a very melancholy voice.

"Repeat 'You are old, Father William,'" said the Caterpillar.

Alice folded her hands, and began:—

"Be', forse *lei* sente le cose in altro modo," disse Alice, "quel che so è che *io* lo sentirei come molto strano."

"Tu!" disse il Bruco con disprezzo. "Chi sei *tu*?"

Il che li riportò indietro all'inizio della loro conversazione. Alice si era un po' irritata, con quel Bruco e con le sue domande e risposte *così* secche, e si erse in tutta la sua statura e disse, con grande serietà: "Credo che dovrebbe essere lei, a dirmi anzitutto chi è *lei*".

"E perché?" disse il Bruco.

Ecco qui un'altra questione imbarazzante; e Alice, siccome non riusciva a pensare ad alcuna buona ragione e il Bruco sembrava trovarsi in una situazione mentale *molto* sgradevole, fece per andar via.

"Torna qui!" le gridò dietro il Bruco. "Ho qualcosa di importante da dire!"

Questo suonava promettente, certo: e Alice si voltò e tornò indietro.

"Mantieni la calma," disse il Bruco.

"Tutto qui?" disse Alice, mandando giù la rabbia il più possibile.

"No," disse il Bruco.

Alice pensò che tanto valeva aspettare, dato che non aveva niente da fare, e forse dopo tutto quello aveva davvero qualcosa da dirle che valesse la pena di ascoltare. Per qualche minuto il Bruco andò avanti a fumare senza dir niente, ma alla fine sciolse le braccia, tornò a togliersi il narghilè dalla bocca, e disse: "Dunque tu pensi di essere cambiata, vero?".

"Ho paura di sì, signore," disse Alice: "Non riesco più a ricordare le cose – e non riesco a rimanere della stessa statura per dieci minuti di seguito!".

"Non riesci a ricordare *quali* cose?" disse il Bruco.

"Be', ho cercato di dire 'La vispa Teresa avea fra l'erbetta' ma mi è venuta fuori tutta diversa," rispose Alice con tono molto malinconico.

"Prova a ripetere 'Papà Guglielmo ormai sei vecchio, tu!'," disse il Bruco.

Alice intrecciò le mani, e cominciò:

"You are old, father William," the young man said,
"And your hair has become very white;
And yet you incessantly stand on your head—
Do you think, at your age, it is right?"

"In my youth," father William replied to his son,
"I feared it might injure the brain;
But, now that I'm perfectly sure I have none,
Why, I do it again and again."

"You are old," said the youth, "as I mentioned before,
         And have grown most uncommonly fat;
Yet you turned a back-somersault in at the door—
Pray what is the reason of that?"

"In my youth," said the sage, as he shook his grey
                                        [locks,
         "I kept all my limbs very supple
By the use of this ointment—one shilling the box—
Allow me to sell you a couple?"

"You are old," said the youth, "and your jaws are
                                        [too weak
         For anything tougher than suet;
Yet you finished the goose, with the bones and the
                                        [beak—
         Pray, how did you manage to do it?"

"In my youth," said his father, "I took to the law,
And argued each case with my wife:
And the muscular strength, which it gave to my jaw,
         Has lasted the rest of my life."

"You are old," said the youth, "one would hardly
                                        [suppose
         That your eye was as steady as ever;
Yet you balanced an eel on the end of your nose—
What made you so awfully clever?"

"I have answered three questions, and that is
                                        [enough,"
         Said his father. "Don't give yourself airs!
Do you think I can listen all day to such stuff?
Be off, or I'll kick you down stairs!"

"'Papà Guglielmo, ormai sei vecchio, tu!
E i tuoi capelli sono tutti bianchi;
ma questo andare sempre a testa in giù,
alla tua età non ti par che ti stanchi?'

'Da giovane,' rispose, 'ti dirò:
temevo che nuocesse al mio cervello.
Ma visto che il cervello non ce l'ho,
posso far quel che voglio: e questo, e quello!'

'Ma sei vecchio, papà, e poi... non solo:
sei ingrassato come un mappamondo,
eppure salti ancor come un capriolo,
senza che esista una ragione al mondo.'

Rispose lui, lisciandosi i capelli:
'Ho sempre usato un elisir fatato
che giovani mantiene e forti e belli:
uno scellino al mese mi è costato'.

'Ma sei vecchio, papà, c'hai la dentiera
e mastichi soltanto minestrine;
ma allora come hai fatto, l'altra sera,
a mangiarti due libbre di costine?'

Rispose lui: 'Facevo l'avvocato
e tutto discutevo con mia moglie,
e se i denti mi hanno abbandonato
non ho perso l'ardir per altre voglie'.

'Ma sei vecchio, papà, sei mezzo cieco,
non distingui una mosca da un tramvai,
eppur come una foca o un tricheco
fai giochi di prestigio. Come fai?'

'A tre cose ho risposto, e mi hai stufato!'
rispose il vecchio. 'E adesso, per piacere,
fuori subito come sei entrato,
o ti ci sbatto a calci nel sedere!'".[3]

"That is not said right," said the Caterpillar.

"Not quite right, I'm afraid," said Alice timidly: "some of the words have got altered."

"It is wrong from beginning to end," said the Caterpillar, decidedly; and there was silence for some minutes.

The Caterpillar was the first to speak. "What size do you want to be?" it asked.

"Oh, I'm not particular as to size," Alice hastily replied; "only one doesn't like changing so often, you know."

"I don't know," said the Caterpillar.

Alice said nothing: she had never been so much contradicted in all her life before, and she felt that she was losing her temper.

"Are you content now?" said the Caterpillar.

"Well, I should like to be a little larger, Sir, if you wouldn't mind," said Alice: "three inches is such a wretched height to be."

"It is a very good height indeed!" said the Caterpillar angrily, rearing itself upright as it spoke (it was exactly three inches high).

"But I'm not used to it!" pleaded poor Alice in a piteous tone. And she thought to herself, "I wish the creatures wouldn't be so easily offended!"

"You'll get used to it in time," said the Caterpillar; and it put the hookah into its mouth and began smoking again.

This time Alice waited patiently until it chose to speak again. In a minute or two the Caterpillar took the hookah out of its mouth, and yawned once or twice, and shook itself. Then it got down off the mushroom, and crawled away into the grass, merely remarking, as it went, "One side will make you grow taller, and the other side will make you grow shorter."

"One side of what? The other side of what?" thought Alice to herself.

"Of the mushroom," said the Caterpillar, just as if she had asked it aloud; and in another moment it was out of sight.

Alice remained looking thoughtfully at the mush-

"Non l'hai detta giusta," disse il Bruco.

"Non *proprio* giusta, ho paura," disse Alice timidamente, "qualche parola è venuta fuori diversa."

"È tutto sbagliato dal principio alla fine," disse il Bruco con tono deciso, e per qualche istante tutti e due rimasero in silenzio.

Poi fu il Bruco il primo a parlare.

"Come vorresti essere grande?" chiese.

"Oh, non m'importa tanto essere grande o piccola," rispose subito Alice, "solo che non è bello cambiare così spesso, lo sa anche lei."

"Io *non lo so*," disse il Bruco.

Alice non disse nulla: non era mai stata contraddetta in questo modo in vita sua, e sentì che stava perdendo la pazienza.

"Così come sei adesso, ti va bene?" disse il Bruco.

"Be', mi piacerebbe essere un po' più grande, signore, se non le dispiace," disse Alice, "essere alta tre pollici è proprio una brutta situazione."

"È un'ottima statura invece!" disse il Bruco con rabbia, tirandosi su dritto (era alto esattamente tre pollici).

"Ma io non ci sono abituata!" si difese Alice con tono supplichevole. E dentro di sé si disse: "Vorrei tanto che tutte queste creature non fossero così permalose!".

"A tempo debito ti ci abituerai," disse il Bruco; e rimessosi in bocca il narghilè, si rimise a fumare.

Stavolta Alice attese pazientemente finché quello non si decise a riparlare. Dopo uno o due minuti infatti il Bruco si tolse il narghilè di bocca e sbadigliò una o due volte, e si diede una scrollatina. Poi scese giù dal fungo, e si allontanò strisciando nell'erba, limitandosi a dire: "Se stai a destra diventerai più grande, a sinistra diventerai più piccola".

"A destra di *che cosa*? A sinistra di *che cosa*?" pensò Alice dentro di sé.

"Del fungo," disse il Bruco, proprio come se lei glielo avesse chiesto ad alta voce; e un attimo dopo era già sparito alla vista di lei.

Alice rimase per qualche istante a fissare pensierosa il

room for a minute, trying to make out which were the two sides of it; and, as it was perfectly round, she found this a very difficult question. However, at last she stretched her arms round it as far as they would go, and broke off a bit of the edge with each hand.

"And now which is which?" she said to herself, and nibbled a little of the right-hand bit to try the effect.

* * *
* *
*

The next moment she felt a violent blow underneath her chin: it had struck her foot!

She was a good deal frightened by this very sudden change, but she felt that there was no time to be lost, as she was shrinking rapidly: so she set to work at once to eat some of the other bit. Her chin was pressed so closely against her foot, that there was hardly room to open her mouth; but she did it at last, and managed to swallow a morsel of the left-hand bit.

*
* *
* * *

"Come, my head's free at last!" said Alice in a tone of delight, which changed into alarm in another moment, when she found that her shoulders were nowhere to be found: all she could see, when she looked down, was an immense length of neck, which seemed to rise like a stalk out of a sea of green leaves that lay far below her.

"What can all that green stuff be?" said Alice. "And where have my shoulders got to? And oh, my poor hands, how is it I can't see you?" She was moving them about, as she spoke, but no result seemed to follow, except a little shaking among the distant green leaves.

As there seemed to be no chance of getting her hands up to her head, she tried to get her head down to them,

fungo, cercando di capire quali fossero la sua destra e la sua sinistra; e siccome il fungo era perfettamente rotondo, trovò la questione molto difficile. Comunque, alla fine abbracciò il fungo in tutta la lunghezza delle sua braccia, e ne staccò un pezzetto della cappella con ciascuna mano.

"E adesso qual è questo o quello?" si disse, dando un piccolo morso al pezzetto della mano destra per vedere quel che sarebbe successo.

* * *
* *
*

Subito sentì un colpo violento sotto il mento: le era finito contro il piede!

Questo cambiamento così improvviso le fece molta paura, ma capì subito che non c'era tempo da perdere, dato che si stava rimpicciolendo così in fretta; così si diede subito da fare mangiando un po' dell'altro pezzetto. Il mento le si era tanto schiacciato contro il piede, che quasi non c'era spazio per aprire la bocca; ma finalmente ci riuscì, ed ebbe modo di ingoiare un pezzetto del pezzo di fungo della mano sinistra.

*
* *
* * *

"Oh, ho la testa libera finalmente!" disse Alice con un tono di soddisfazione, che però subito dopo si fece di preoccupazione, quando si accorse che non trovava più le proprie spalle da nessuna parte: tutto quel che riusciva a vedere, guardando in giù, era un collo di immensa lunghezza, che sembrava spuntare come uno stelo da un mare di foglie verdi che si stendeva lontanissimo sotto di lei.

"Che cosa *può* essere tutta quella roba verde?" disse Alice. "E dove sono andate a *finire* le mie spalle? E... oh, le mie povere mani, com'è che non riesco a vedervi?" Parlando, muoveva appunto le mani, ma pareva che non ne risultasse niente, eccetto un leggero ondeggiare di quelle lontane foglie verdi.

Siccome pareva che non vi fosse modo di sollevare le mani fino alla testa, Alice cercò di chinare la testa fino alle

and was delighted to find that her neck would bend about easily in any direction, like a serpent. She had just succeeded in curving it down into a graceful zigzag, and was going to dive in among the leaves, which she found to be nothing but the tops of the trees under which she had been wandering, when a sharp hiss made her draw back in a hurry: a large pigeon had flown into her face, and was beating her violently with its wings.

"Serpent!" screamed the Pigeon.

"I'm not a serpent!" said Alice indignantly. "Let me alone!"

"Serpent, I say again!" repeated the Pigeon, but in a more subdued tone, and added, with a kind of sob, "I've tried every way, but nothing seems to suit them!"

"I haven't the least idea what you're talking about," said Alice.

"I've tried the roots of trees, and I've tried banks, and I've tried hedges," the Pigeon went on, without attending to her; "but those serpents! There's no pleasing them!"

Alice was more and more puzzled, but she thought there was no use in saying anything more till the Pigeon had finished.

"As if it wasn't trouble enough hatching the eggs," said the Pigeon; "but I must be on the look-out for serpents night and day! Why, I haven't had a wink of sleep these three weeks!"

"I'm very sorry you've been annoyed," said Alice, who was beginning to see its meaning.

"And just as I'd taken the highest tree in the wood," continued the Pigeon, raising its voice to a shriek, "and just as I was thinking I should be free of them at last, they must needs come wriggling down from the sky! Ugh, Serpent!"

"But I'm not a serpent, I tell you!" said Alice. "I'm a—I'm a—"

"Well! What are you?" said the Pigeon. "I can see you're trying to invent something!"

"I—I'm a little girl," said Alice, rather doubtfully, as

mani, ed ebbe il piacere di constatare che il collo le si piegava facilmente in tutte le direzioni, come un serpente. Era giusto riuscita a curvarlo in giù in un grazioso zig zag, e stava per tuffarlo tra le foglie, che scoprì non esser altro che le cime degli alberi sotto i quali era andata vagando, quando un fischio acuto la fece ritornare precipitosamente indietro: un grosso piccione le era volato sulla faccia, e la stava percuotendo violentemente con le ali.

"Serpente che non sei altro!" strillò il Piccione.

"Non *sono* un serpente!" disse Alice tutta indignata. "Lei mi lasci stare!"

"Serpente: lo dico e lo ripeto!" disse il Piccione, ma stavolta con un tono di voce meno aggressivo, e aggiunse con una sorta di singhiozzo: "Ci ho provato in tutti i modi, ma pare che per loro non vada bene niente!".

"Non ho la più pallida idea di che cosa lei stia parlando," disse Alice.

"Ho provato con le radici degli alberi, e ho provato con gli argini, e ho provato con le siepi," continuò il Piccione senza darle retta, "ma quei serpenti! Niente li soddisfa!"

Alice era sempre più perplessa, ma pensò che non serviva dire nient'altro fino a che il Piccione non avesse finito.

"Come se non fosse già un bel problema dover covare le uova," disse il Piccione, "ecco che devo stare in guardia contro i serpenti, giorno e notte! Lo sai che son tre settimane che non chiudo occhio?"

"Mi dispiace che lei abbia tanti fastidi," disse Alice, che cominciava a intuire il problema del Piccione.

"E proprio quando avevo scelto l'albero più alto del bosco," continuò il Piccione, con un tono di voce che fu subito uno strillo, "e proprio quando pensavo che finalmente mi sarei liberato di loro, ecco che quelli devono piovermi giù dal cielo! Ugh, Serpente!"

"Ma io *non* sono un serpente, le sto dicendo!" disse Alice. "Io sono una... sono una..."

"E allora? Che *cos'è* che sei?" disse il Piccione. "Mi pare che tu stia cercando delle scuse!"

"Io... sono una bambina," disse Alice, con tono un po'

she remembered the number of changes she had gone through, that day.

"A likely story indeed!" said the Pigeon in a tone of the deepest contempt. "I've seen a good many little girls in my time, but never one with such a neck as that! No, no! You're a serpent; and there's no use denying it. I suppose you'll be telling me next that you never tasted an egg!"

"I have tasted eggs, certainly," said Alice, who was a very truthful child; "but little girls eat eggs quite as much as serpents do, you know."

"I don't believe it," said the Pigeon; "but if they do, why, then they're a kind of serpent: that's all I can say."

This was such a new idea to Alice, that she was quite silent for a minute or two, which gave the Pigeon the opportunity of adding, "You're looking for eggs, I know that well enough; and what does it matter to me whether you're a little girl or a serpent?"

"It matters a good deal to me," said Alice hastily; "but I'm not looking for eggs, as it happens; and, if I was, I shouldn't want yours: I don't like them raw."

"Well, be off, then!" said the Pigeon in a sulky tone, as it settled down again into its nest. Alice crouched down among the trees as well as she could, for her neck kept getting entangled among the branches, and every now and then she had to stop and untwist it. After a while she remembered that she still held the pieces of mushroom in her hands, and she set to work very carefully, nibbling first at one and then at the other, and growing sometimes taller and sometimes shorter, until she had succeeded in bringing herself down to her usual height.

* * *
* *
*
*
* *
* * *

It was so long since she had been anything near the right size, that it felt quite strange at first; but she got used to it in a few minutes, and began talking to herself, as usual, "Come, there's half my plan done now!

incerto, ricordandosi tutti i cambiamenti che aveva subìto per tutto il giorno.

"Proprio una bella trovata!" disse il Piccione col tono del più profondo disprezzo. "Ho visto un sacco di bambine in vita mia, ma mai *nessuna* con un collo come il tuo! No, no! Tu sei un serpente; inutile negarlo. Suppongo che mi dirai anche che non hai mai neanche assaggiato un uovo!"

"Le uova le *ho* assaggiate, certo," disse Alice, che era sempre molto sincera, "ma lei non lo sa che le bambine mangiano uova tali e quali i serpenti?"

"Non ci credo," disse il Piccione, "ma se è così, allora anche tu sei una specie di serpente, mi pare ovvio."

Questa era un'idea così nuova per Alice, che se ne stette in silenzio per uno o due minuti, il che diede al Piccione l'opportunità di aggiungere: "Tu stai cercando uova, *questo* lo so quanto basta; e che cosa m'importa che tu sia una bambina o un serpente?".

"Importa molto a *me*," rispose subito Alice, "ma si dà il caso che io non stia affatto cercando uova; anche fosse, le *sue* non le vorrei: non mi piacciono le uova crude."

"Be', allora vattene!" disse il Piccione con aria irritata, tornando a sistemarsi nel suo nido. Alice si chinò verso gli alberi, per quanto le fu possibile, dato che il collo seguitava a restarle impigliato tra i rami, e ogni mezzo minuto doveva fermarsi a districarlo. Dopo un po' si ricordò di avere ancora tra le mani i pezzetti di fungo, e vi si dedicò con grande attenzione, mordicchiando prima l'uno poi l'altro, e diventando ora più alta ora più piccola, fino a che non le riuscì di fermarsi alla sua statura normale.

✳ ✳ ✳

✳ ✳

✳

✳

✳ ✳

✳ ✳ ✳

Era passato tanto da quando si era trovata più o meno della sua giusta altezza, che sulle prime sentì la cosa alquanto strana; ma in pochi minuti vi si abituò, e cominciò a parlare tra sé, come al solito. "Su, il mio piano l'ho realiz-

How puzzling all these changes are! I'm never sure what I'm going to be, from one minute to another! However, I've got back to my right size: the next thing is, to get into that beautiful garden—how is that to be done, I wonder?" As she said this, she came suddenly upon an open place, with a little house in it about four feet high. "Whoever lives there," thought Alice, "it'll never do to come upon them this size: why, I should frighten them out of their wits!" So she began nibbling at the right-hand bit again, and did not venture to go near the house till she had brought herself down to nine inches high.

* * *
* *
*

zato già a metà! Che strani che sono tutti questi cambiamenti! Non sono mai sicura di che cosa potrà capitarmi da un momento all'altro! Comunque, sono tornata alla mia misura giusta: quel che ora devo fare è entrare in quel bellissimo giardino... ma come posso fare, mi domando?" Dicendo questo, arrivò improvvisamente in una radura, dove c'era una casetta alta all'incirca quattro piedi. "Chiunque abiti lì," pensò Alice, "mai cercherò di arrivargli davanti grande *così*; eh sì, diventerebbero matti dalla paura!" Così ricominciò a mordicchiare il pezzetto della mano destra, e si guardò bene dall'avvicinarsi alla casetta fino a che non si fu rimpicciolita a nove pollici.

* * *
* *
*

VI
Pig and Pepper

For a minute or two she stood looking at the house, and wondering what to do next, when suddenly a footman in livery came running out of the wood—(she considered him to be a footman because he was in livery: otherwise, judging by his face only, she would have called him a fish)—and rapped loudly at the door with his knuckles. It was opened by another footman in livery, with a round face and large eyes like a frog; and both footmen, Alice noticed, had powdered hair that curled all over their heads. She felt very curious to know what it was all about, and crept a little way out of the wood to listen.

The Fish-Footman began by producing from under his arm a great letter, nearly as large as himself, and this he handed over to the other, saying, in a solemn tone, "For the Duchess. An invitation from the Queen to play croquet." The Frog-Footman repeated, in the same solemn tone, only changing the order of the words a little, "From the Queen. An invitation for the Duchess to play croquet."

Then they both bowed low, and their curls got entangled together.

Alice laughed so much at this that she had to run back into the wood for fear of their hearing her; and, when she next peeped out, the Fish-Footman was gone,

VI

Porcellino e pepe

Per un paio di minuti Alice rimase lì a guardare la casa, chiedendosi che cosa avrebbe dovuto fare, quando improvvisamente un lacchè in livrea uscì correndo dal bosco (pensò che fosse un lacchè dalla divisa che indossava: altrimenti, a giudicare solo dalla sua faccia, lo avrebbe definito un pesce) e batté sonoramente alla porta con le nocche. Gli fu aperto da un altro lacchè in livrea, con una faccia rotonda e grandi occhi rotondi come quelli di una rana; e tutti e due i lacchè, notò Alice, avevano la testa coperta da capelli incipriati, a forma di boccoli. Curiosissima di sapere che cos'era quella storia, si affacciò un poco fuori del bosco per ascoltare.

Il Pesce-Lacchè cominciò con l'esibire da sotto il braccio una enorme lettera, grande quasi come lui, e questa lettera la porse all'altro, dicendo, con tono solenne: "Per la Duchessa. Un invito da parte della Regina per una partita di croquet". La Rana-Lacchè ripeté il tutto, nello stesso tono solenne, solo cambiando un poco l'ordine delle parole: "Da parte della Regina. Un invito alla Duchessa per una partita a croquet".

Poi i due si fecero l'un l'altro un profondo inchino, e i loro boccoli si ingarbugliarono insieme.

Ad Alice venne tanto da ridere che dovette rifugiarsi di nuovo nel bosco per paura che la sentissero; e quando di nuovo fece capolino il Pesce-Lacchè se ne era andato, e

and the other was sitting on the ground near the door, staring stupidly up into the sky.

Alice went timidly up to the door, and knocked.

"There's no sort of use in knocking," said the Footman, "and that for two reasons. First, because I'm on the same side of the door as you are. Secondly, because they're making such a noise inside, no one could possibly hear you." And certainly there was a most extraordinary noise going on within—a constant howling and sneezing, and every now and then a great crash, as if a dish or kettle had been broken to pieces.

"Please, then," said Alice, "how am I to get in?"

"There might be some sense in your knocking," the Footman went on, without attending to her, "if we had the door between us. For instance, if you were inside, you might knock, and I could let you out, you know." He was looking up into the sky all the time he was speaking, and this Alice thought decidedly uncivil. "But perhaps he can't help it," she said to herself; "his eyes are so very nearly at the top of his head. But at any rate he might answer questions.—How am I to get in?" she repeated, aloud.

"I shall sit here," the Footman remarked, "till to-morrow—"

At this moment the door of the house opened, and a large plate came skimming out, straight at the Footman's head: it just grazed his nose, and broke to pieces against one of the trees behind him.

"—or next day, maybe," the Footman continued in the same tone, exactly as if nothing had happened.

"How am I to get in?" asked Alice again, in a louder tone.

"Are you to get in at all?" said the Footman. "That's the first question, you know."

It was, no doubt: only Alice did not like to be told so. "It's really dreadful," she muttered to herself, "the way all the creatures argue. It's enough to drive one crazy!"

l'altro se ne stava seduto vicino alla porta, guardando su verso il cielo con aria imbambolata.

Alice si avvicinò timidamente alla porta, e bussò.

"Non serve proprio a niente bussare," disse il Lacchè, "e questo per due ragioni. La prima, perché io sono dalla stessa parte della porta dove ci sei tu; la seconda, perché dentro stanno facendo un tal baccano che nessuno ti può sentire." E indubbiamente un rumore eccezionale si sentiva uscire dalla casa: un costante ululare e starnutire, e di tanto in tanto un grande fracasso, come di un piatto o di una teiera andati in pezzi.

"Ma allora, scusi," disse Alice, "come faccio a entrare?"

"Il tuo bussare avrebbe un senso," proseguì il Lacchè senza darle retta, "se tra noi due ci fosse la porta. Per esempio: se tu ti trovassi *dentro*, potresti bussare e io potrei farti uscire, chiaro?" Parlando, continuava a guardare in su verso il cielo, cosa che Alice pensò essere decisamente da maleducato. "Ma forse non può farne a meno," si disse, "con quegli occhi messi così *in cima* alla testa. Però, lo stesso: potrebbe rispondere alle domande. – Come faccio a entrare?" ripeté ad alta voce.

"Mi toccherà star seduto qui," osservò il Lacchè, "fino a domani..."

In questo momento la porta della casa si aprì, e un grande piatto ne uscì a volo radente, dritto verso la testa del Lacchè; ma gli sfiorò soltanto il naso, e andò a fracassarsi contro uno degli alberi dietro di lui.

"...o magari anche dopodomani," proseguì il Lacchè con lo stesso tono, esattamente come se niente fosse successo.

"Come faccio a entrare?" chiese Alice ancora una volta, alzando un po' la voce.

"Ma *devi* proprio entrare?" disse il Lacchè. "Perché, sai: questo è il primo problema."

Lo era senza dubbio: solo che ad Alice non piaceva che glielo dicessero. "È davvero terribile," mormorò a se stessa, "il modo in cui discute tutta questa gente. È una cosa che ti fa diventar matta!"

The Footman seemed to think this a good opportunity for repeating his remark, with variations. "I shall sit here," he said, "on and off, for days and days."

"But what am I to do?" said Alice.

"Anything you like," said the Footman, and began whistling.

"Oh, there's no use in talking to him," said Alice desperately: "he's perfectly idiotic!" And she opened the door and went in.

The door led right into a large kitchen, which was full of smoke from one end to the other: the Duchess was sitting on a three-legged stool in the middle, nursing a baby: the cook was leaning over the fire, stirring a large cauldron which seemed to be full of soup.

"There's certainly too much pepper in that soup!" Alice said to herself, as well as she could for sneezing.

There was certainly too much of it in the air. Even the Duchess sneezed occasionally; and as for the baby, it was sneezing and howling alternately without a moment's pause. The only two creatures in the kitchen, that did not sneeze, were the cook, and a large cat, which was lying on the hearth and grinning from ear to ear.

"Please would you tell me," said Alice, a little timidly, for she was not quite sure whether it was good manners for her to speak first, "why your cat grins like that?"

"It's a Cheshire cat," said the Duchess, "and that's why. Pig!"

She said the last word with such sudden violence that Alice quite jumped; but she saw in another moment that it was addressed to the baby, and not to her, so she took courage, and went on again:—

"I didn't know that Cheshire cats always grinned; in fact, I didn't know that cats could grin."

Il Lacchè sembrò pensare che questa era una buona occasione per ripetere la sua osservazione, con variazioni. "Dovrò starmene seduto qui," disse, "dentro e fuori, per giorni e giorni."

"Ma io che cosa devo fare?" disse Alice.

"Tutto quel che vuoi," disse il Lacchè, e si mise a fischiettare.

"Oh, è tempo perso parlare con questo qui," disse Alice disperatamente, "è perfettamente idiota!" E aprì la porta ed entrò.

La porta conduceva direttamente a una grande cucina, piena di fumo da un capo all'altro: la Duchessa era seduta su uno sgabello a tre gambe, in mezzo alla stanza, e stava cullando un bambino; la cuoca era china sui fornelli, e rimestolava un grande calderone che sembrava pieno di zuppa.

"In quella zuppa c'è certamente troppo pepe!" pensò Alice, per quanto glielo permisero gli starnuti.

Ce n'era certamente molto per l'aria. Anche la Duchessa di tanto in tanto starnutiva, e quanto al bambino, starnutiva e frignava senza un attimo di pausa. Le sole cose che non starnutissero in quella cucina erano la cuoca e un grosso gatto seduto per terra che ghignava da un orecchio all'altro.

"Per piacere, potreste dirmi," disse Alice, un po' timidamente, perché non era proprio sicura che fosse buona educazione essere la prima a parlare, "perché ghigna così il vostro gatto?"

"Perché è un gatto del Cheshire," disse la Duchessa, "e tanto basta! Porco!"

Disse quest'ultima parola con tanta improvvisa violenza che Alice fece quasi un salto; ma subito si rese conto che la Duchessa si riferiva al bambino, e non a lei, e così prese coraggio e proseguì:

"Non sapevo che i gatti del Cheshire ghignassero sempre; anzi, non sapevo anche che i gatti *potessero* ghignare a quel modo".[4]

"They all can," said the Duchess; "and most of 'em do."

"I don't know of any that do," Alice said very politely, feeling quite pleased to have got into a conversation.

"You don't know much," said the Duchess; "and that's a fact."

Alice did not at all like the tone of this remark, and thought it would be as well to introduce some other subject of conversation. While she was trying to fix on one, the cook took the cauldron of soup off the fire, and at once set to work throwing everything within her reach at the Duchess and the baby—the fire-irons came first; then followed a shower of saucepans, plates, and dishes. The Duchess took no notice of them, even when they hit her; and the baby was howling so much already, that it was quite impossible to say whether the blows hurt it or not.

"Oh, please mind what you're doing!" cried Alice, jumping up and down in an agony of terror. "Oh, there goes his precious nose!" as an unusually large saucepan flew close by it, and very nearly carried it off.

"If everybody minded their own business," the Duchess said, in a hoarse growl, "the world would go round a deal faster than it does."

"Which would not be an advantage," said Alice, who felt very glad to get an opportunity of showing off a little of her knowledge. "Just think what work it would make with the day and night! You see the earth takes twenty-four hours to turn round on its axis—"

"Talking of axes," said the Duchess, "chop off her head!"

Alice glanced rather anxiously at the cook, to see if she meant to take the hint; but the cook was busily stirring the soup, and seemed not to be listening, so she went on again: "Twenty-four hours, I think; or is it twelve? I—"

"Oh, don't bother me," said the Duchess. "I never

"Tutti possono," disse la Duchessa, "e quasi tutti lo fanno."

"Io non so di nessuno che lo faccia," disse Alice molto educatamente, lieta di poter finalmente conversare tranquillamente con qualcuno.

"Tu non sai molto," disse la Duchessa, "e questo è un fatto."

Ad Alice non piacque affatto il tono di questa osservazione, e pensò che tanto valeva introdurre un qualche altro tema di conversazione. Mentre stava cercando di trovarne uno, la cuoca tolse il calderone della zuppa dal fuoco, e subito si diede a gettare tutto ciò che era alla sua portata contro la Duchessa e il bambino. Prima di tutto arrivarono le molle del focolare; poi seguì un diluvio di tegami, di pentole, di piatti. La Duchessa non vi badò assolutamente, neppure quando qualcosa la colpiva; e il bambino stava già piangendo tanto che era del tutto impossibile capire se qualcosa lo avesse ferito o meno.

"Oh, *per piacere*, stia attenta a quel che fa!" gridò Alice, saltando su e giù in un'agonia di terrore. "Oh, guarda quel suo bel *nasino*", quando un tegame di insolita grandezza gli passò vicino, poco mancando che glielo portasse via.

"Se tutti si occupassero dei fatti loro," disse la Duchessa con un cupo grugnito, "il mondo girerebbe un po' più in fretta di come gira."

"Il che *non* sarebbe un gran progresso," disse Alice, molto lieta dell'occasione di dare sfoggio della propria cultura. "Pensi solo a quello che dovrebbe fare con il giorno e la notte! Vede: la terra impiega ventiquattr'ore a girare attorno al suo asse..."

"A proposito di asce," disse la Duchessa, "tagliale la testa!"

Alice lanciò uno sguardo preoccupato alla cuoca, per vedere se per caso avesse intenzione di cogliere il suggerimento; ma la cuoca era tutta intenta a rimestolare la zuppa, e non sembrava che stesse ascoltando, così Alice continuò: "Ventiquattr'ore, *mi pare*; o forse sono dodici? Io...".

"Oh, non mi seccare," disse la Duchessa. "Non ho mai

*could abide figures!" And with that she began nursing her
child again, singing a sort of lullaby to it as she did so,
and giving it a violent shake at the end of every line:—*

"Speak roughly to your little boy,
And beat him when he sneezes:
He only does it to annoy,
Because he knows it teases."

CHORUS
(in which the cook and the baby joined):—
"Wow! wow! wow!"

*While the Duchess sang the second verse of the song,
she kept tossing the baby violently up and down, and the
poor little thing howled so, that Alice could hardly hear
the words:—*

"I speak severely to my boy,
And beat him when he sneezes:
For he can thoroughly enjoy
The pepper when he please!"

CHORUS
"Wow! wow! wow!"

*"Here! You may nurse it a bit, if you like!" the
Duchess said to Alice, flinging the baby at her as she
spoke. "I must go and get ready to play croquet with
the Queen," and she hurried out of the room. The cook
threw a frying-pan after her as she went, but it just
missed her.*

*Alice caught the baby with some difficulty, as it was a
queer-shaped little creature, and held out its arms and
legs in all directions, "just like a starfish," thought Alice.
The poor little thing was snorting like a steam-engine
when she caught it, and kept doubling itself up and
straightening itself out again, so that altogether, for the
first minute or two, it was as much as she could do to
hold it.*

digerito i numeri!" E con questo tornò a occuparsi del bambino, e si mise a cantargli una specie di ninnananna,[5] dandogli uno strattone alla fine di ogni verso:

"Fate la nanna cosciotti di bue,
la vecchia cuoca vi ha dato la sveglia,
e vi ha tirato in testa una teglia
fate la nanna cosciotti di bue".

CORO *(cui si unirono la cuoca e il bambino):*
"Uào! Uào! Uào!".

Cantando la seconda strofa della canzone, la Duchessa continuò a sballottare il bambino in su e in giù, e il povero piccolo urlava tanto che Alice riuscì appena a sentire le parole:

"Il mio bambino lo riempio di botte,
a ogni starnuto uno schiaffo gli do,
e che impari che tirar su col naso
il pepe davvero, no, non si può".

CORO:
"Uào! Uào! Uào!".

"Te'! Puoi cullarlo un po' anche tu, se vuoi!" disse la Duchessa ad Alice, gettandole il bambino. "Io devo andare a prepararmi per giocare a croquet con la Regina", e corse fuori dalla stanza. Mentre se ne andava, la cuoca le tirò dietro una padella ma senza riuscire a prenderla.

Alice afferrò il bambino con qualche difficoltà, perché si trattava di una creaturina dalla strana forma, che stendeva le braccia e le gambe in tutte le direzioni: "Proprio come una stella di mare," pensò Alice. Quando lei lo prese, il povero bambino ansimava come un motore a vapore, e continuò a richiudersi a palla e poi di nuovo a sbracciarsi tutto, così che per i primi uno o due minuti il massimo che poté fare fu quello di tenerlo.

As soon as she had made out the proper way of nursing it (which was to twist it up into a sort of knot, and then keep tight hold of its right ear and left foot, so as to prevent its undoing itself), she carried it out into the open air. "If I don't take this child away with me," thought Alice, "they're sure to kill it in a day or two. Wouldn't it be murder to leave it behind?" She said the last words out loud, and the little thing grunted in reply (it had left off sneezing by this time). "Don't grunt," said Alice; "that's not at all a proper way of expressing yourself."

The baby grunted again, and Alice looked very anxiously into its face to see what was the matter with it. There could be no doubt that it had a very turn-up nose, much more like a snout than a real nose: also its eyes were getting extremely small for a baby: altogether Alice did not like the look of the thing at all. "But perhaps it was only sobbing," she thought, and looked into its eyes again, to see if there were any tears.

No, there were no tears. "If you're going to turn into a pig, my dear," said Alice, seriously, "I'll have nothing more to do with you. Mind now!" The poor little thing sobbed again, (or grunted, it was impossible to say which), and they went on for some while in silence.

Alice was just beginning to think to herself, "Now, what am I to do with this creature, when I get it home?" when it grunted again, so violently, that she looked down into its face in some alarm. This time there could be no mistake about it: it was neither more nor less than a pig, and she felt that it would be quite absurd for her to carry it any further.

So she set the little creature down, and felt quite relieved to see it trot away quietly into the wood. "If it had grown up," she said to herself, "it would have made a dreadfully ugly child: but it makes rather a

Non appena Alice riuscì a scoprire il giusto modo di accudirlo (che risultò essere il torcerlo tutto in una specie di nodo, e impugnarlo poi per l'orecchio destro e il piede sinistro, in modo da impedirgli di districarsi) lo portò fuori all'aria aperta. "Se non porto questo bambino via con me," pensò Alice, "queste di sicuro lo uccidono in un paio di giorni: e non sarebbe un omicidio lasciarlo qui?" Disse queste parole ad alta voce, e il piccolino che aveva tra le mani grugnì per tutta risposta (a questo punto aveva smesso di starnutire). "Non grugnire," disse Alice, "che non è per niente un bel modo di esprimersi."

Ma il bambino grugnì ancora, e Alice lo scrutò molto ansiosamente in volto per capire quel che poteva avere. Non ci potevano essere dubbi sul fatto che egli avesse un naso "molto" girato in su; molto più simile a un grugno che non a un vero naso; anche gli occhi si erano fatti estremamente piccoli per un bambino; tutto sommato, ad Alice l'aspetto di quella cosa non piaceva proprio per niente. "Ma forse stava solo piangendo," pensò, e tornò a guardargli gli occhi per vedere se c'erano delle lacrime.

No, lacrime non ce n'erano. "Se devi trasformarti in un maiale, caro mio," disse Alice, con grande serietà, "io non avrò più niente che fare con te. Sta' attento!" Il povero piccolo singhiozzò ancora (o grugnì, impossibile dire se l'una cosa o l'altra), e proseguirono per qualche tempo in silenzio.

Alice stava giusto cominciando a pensare dentro di sé: "E adesso, che cosa devo fare con questa creaturina quando me la porto a casa?", quando quello fece un altro grugnito, così violento, che lei si piegò a guardarlo in faccia un po' allarmata. Stavolta *non* era possibile ingannarsi: quello era né più né meno che un maiale, e Alice sentì che sarebbe stato del tutto assurdo da parte sua continuare ad accudirlo.

Così depose a terra la creaturina, e si sentì alquanto sollevata nel vederla andare via tranquilla, trotterellando verso il bosco. "Se fosse cresciuto," disse a se stessa, "sarebbe diventato un bambino terribilmente brutto: così

handsome pig, I think." And she began thinking over other children she knew, who might do very well as pigs, and was just saying to herself, "if one only knew the right way to change them—" when she was a little startled by seeing the Cheshire Cat sitting on a bough of a tree a few yards off.

The Cat only grinned when it saw Alice. It looked good-natured, she thought: still it had very long claws and a great many teeth, so she felt that it ought to be treated with respect.

"Cheshire Puss," she began, rather timidly, as she did not at all know whether it would like the name: however, it only grinned a little wider. "Come, it's pleased so far," thought Alice, and she went on. "Would you tell me, please, which way I ought to go from here?"

"That depends a good deal on where you want to get to," said the Cat.

"I don't much care where—" said Alice.

"Then it doesn't matter which way you go," said the Cat.

"—so long as I get somewhere," Alice added as an explanation.

"Oh, you're sure to do that," said the Cat, "if you only walk long enough."

Alice felt that this could not be denied, so she tried another question. "What sort of people live about here?"

"In that direction," the Cat said, waving its right paw round, "lives a Hatter: and in that direction," waving the other paw, "lives a March Hare. Visit either you like: they're both mad."

"But I don't want to go among mad people," Alice remarked.

"Oh, you can't help that," said the Cat: "we're all mad here. I'm mad. You're mad."

" How do you know I'm mad?" said Alice.

com'è, credo possa essere un bel maialetto." E cominciò a pensare, tra gli altri bambini che conosceva, quali sarebbero andati bene anche come maiali, e stava proprio dicendo a se stessa: "Se solo si sapesse come fare a trasformarli...", quando ebbe un piccolo trasalimento di sorpresa nel vedere il Gatto del Cheshire sul ramo di un albero a pochi passi di distanza.

Il Gatto si limitò a ghignare quando vide Alice. Sembrava un gatto di buon carattere, pensò lei; comunque aveva delle unghie *molto* lunghe e un sacco di denti, così che Alice pensò che doveva essere trattato con rispetto.

"Micino del Cheshire," cominciò, piuttosto timida, dato che non aveva la minima idea se quel nomignolo gli sarebbe piaciuto; comunque, il Gatto non fece che allargare un po' il ghigno. "Su, fin qui gli va bene," pensò Alice, e proseguì. "Potrebbe dirmi, per piacere, da che parte devo andare per andar via di qui?"

"Questo dipende in buona misura da dove vuoi andare," disse il Gatto.

"Non m'importa tanto il dove..." disse Alice.

"Allora non importa neanche da che parte vai," disse il Gatto.

"...purché arrivi da *qualche parte*," aggiunse Alice come spiegazione.

"Oh, questo è sicuro," disse il Gatto, "se solo fai abbastanza strada."

Alice sentì che questo era innegabile, quindi tentò un'altra domanda: "Che tipo di gente è quella che abita qui?".

"Da *quella* parte," disse il Gatto, agitando la zampa destra, "abita un Cappellaio; e da quella parte," agitando l'altra zampa, "abita una Lepre Marzolina. Vai pure da quello che ti pare: tanto sono matti tutti e due."

"Ma io non voglio andare in mezzo ai matti," fece osservare Alice.

"Oh, qui non ci puoi far niente," disse il Gatto, "siamo tutti matti qui. Io sono matto. Tu sei matta."

"E lei come sa se son matta?" disse Alice.

"You must be," said the Cat, "or you wouldn't have come here."

Alice didn't think that proved it at all: however, she went on: "And how do you know that you're mad?"

"To begin with," said the Cat, "a dog's not mad. You grant that?"

"I suppose so," said Alice.

"Well, then," the Cat went on, "you see a dog growls when it's angry, and wags its tail when it's pleased. Now I growl when I'm pleased, and wag my tail when I'm angry. Therefore I'm mad."

"I call it purring, not growling," said Alice.

"Call it what you like," said the Cat. "Do you play croquet with the Queen to-day?"

"I should like it very much," said Alice, "but I haven't been invited yet."

"You'll see me there," said the Cat, and vanished.

Alice was not much surprised at this, she was getting so well used to queer things happening. While she was still looking at the place where it had been, it suddenly appeared again.

"By-the-bye, what became of the baby?" said the Cat. "I'd nearly forgotten to ask."

"It turned into pig," Alice answered very quietly, just as if the Cat had come back in a natural way.

"I thought it would," said the Cat, and vanished again.

Alice waited a little, half expecting to see it again, but it did not appear, and after a minute or two she walked on in the direction in which the March Hare was said to live. "I've seen hatters before," she said to herself: "the March Hare will be much the most interesting, and perhaps, as this is May, it won't be raving mad—at least not so mad as it was in March." As she said this, she looked up, and there was the Cat again, sitting on a branch of a tree.

"Did you say 'pig,' or 'fig'?" said the Cat.

"Devi esserlo per forza," disse il Gatto, "altrimenti non saresti venuta qui."

Alice non pensava che questa fosse una prova; tuttavia, proseguì: "E come sa di essere matto anche lei?".

"Tanto per cominciare," disse il Gatto, "un cane non è matto. Sei d'accordo?"

"Diciamo di sì," disse Alice.

"Be', allora," proseguì il Gatto, "ecco: un cane ringhia quando è arrabbiato, e scodinzola quando è contento. Ora, io ringhio quando sono contento e scodinzolo quando sono arrabbiato. Pertanto io sono matto."

"Io direi che lei miagola, non che ringhia," disse Alice.

"Di' pure quel che ti pare," disse il Gatto. "Giochi anche tu a croquet con la Regina oggi?"

"Mi piacerebbe molto," disse Alice, "ma non sono ancora stata invitata."

"Ci vedremo lì," disse il Gatto, e sparì.

Alice non si sorprese più che tanto a queste parole, dato che si stava abituando ormai al succedersi di cose strane. Stava guardando il ramo dove prima c'era il Gatto, che quello improvvisamente ricomparve.

"A proposito, che cosa è stato del bambino?" disse il Gatto. "Mi ero quasi dimenticato di chiederlo."

"È diventato un porcellino," disse Alice tranquillamente, come se la ricomparsa del Gatto fosse del tutto naturale.

"Lo sapevo," disse il Gatto, e di nuovo sparì.

Alice aspettò un poco, quasi aspettando di rivederlo ancora, ma quello non ricomparve più, così che dopo un paio di minuti lei si mise in cammino nella direzione in cui le era stato detto che abitava la Lepre Marzolina. "Cappellai ne ho già visti prima d'ora," si disse, "la Lepre Marzolina sarà molto più interessante, e forse, visto che siamo in Maggio, non sarà poi così matta – o almeno non così matta come sarà stata a Marzo." Una volta detto questo, alzò gli occhi, ed ecco lì di nuovo il Gatto, seduto sul ramo di un albero.

"Hai detto porcellino o borsellino?" disse il Gatto.

"I said 'pig,'" replied Alice, "and I wish you wouldn't keep appearing and vanishing so suddenly: you make one quite giddy!"

"All right," said the Cat; and this time it vanished quite slowly, beginning with the end of the tail, and ending with the grin, which remained some time after the rest of it had gone.

"Well! I've often seen a cat without a grin," thought Alice; "but a grin without a cat! It's the most curious thing I ever saw in all my life!"

She had not gone much farther before she came in sight of the house of the March Hare: she thought it must be the right house, because the chimneys were shaped like ears and the roof was thatched with fur. It was so large a house, that she did not like to go nearer till she had nibbled some mushroom

        *

       * *

     * * *

and raised herself to about two feet high: even then she walked up towards it rather timidly, saying to herself, "Suppose it should be raving mad after all! I almost wish I'd gone to see the Hatter instead!"

"Ho detto porcellino," rispose Alice, "ma vorrei che lei la smettesse di comparire e di sparire così all'improvviso: fa davvero girare la testa."

"Va bene," disse il Gatto; e questa volta sparì molto lentamente, cominciando dal fondo della coda, e finendo con il ghigno, che rimase lì per qualche tempo dopo che tutto il resto se n'era andato.

"Be', ho spesso visto un gatto senza un ghigno," pensò Alice, "ma un ghigno senza un gatto! È la cosa più strana che io abbia mai visto in vita mia."

Non aveva fatto ancora molta strada, che giunse in vista della casa della Lepre Marzolina; pensò subito che doveva essere proprio quella perché i camini erano a forma di orecchie e il tetto era coperto di pelliccia. Era una casa così grande che lei non volle avvicinarsi prima di aver rosicchiato ancora un po' del pezzetto di fungo della mano sinistra,

*
* *
* * *

in modo di crescere fino a due piedi di altezza; anche così si avvicinò però alla casa con una certa timidezza, dicendo dentro di sé: "E se davvero, dopo tutto, fosse una matta scatenata? Forse era meglio che andassi a trovare il Cappellaio".

VII

A Mad Tea-Party

There was a table set out under a tree in front of the house, and the March Hare and the Hatter were having tea at it: a Dormouse was sitting between them, fast asleep, and the other two were using it as a cushion, resting their elbows on it, and talking over its head. "Very uncomfortable for the Dormouse," thought Alice; "only, as it's asleep, I suppose it doesn't mind."

The table was a large one, but the three were all crowded together at one corner of it. "No room! No room!" they cried out when they saw Alice coming. "There's plenty of room!" said Alice indignantly, and she sat down in a large arm-chair at one end of the table.

"Have some wine," the March Hare said in an encouraging tone.

Alice looked all round the table, but there was nothing on it but tea. "I don't see any wine," she remarked.

"There isn't any," said the March Hare.

"Then it wasn't very civil of you to offer it," said Alice angrily.

"It wasn't very civil of you to sit down without being invited," said the March Hare.

"I didn't know it was your table," said Alice: "it's laid for a great many more than three."

"Your hair wants cutting," said the Hatter. He had been looking at Alice for some time with great curiosity, and this was his first speech.

VII

Un folle party per il the

C'era una tavola sistemata sotto un albero di fronte alla casa, e la Lepre Marzolina e il Cappellaio stavano prendendo il the; seduto tra di loro c'era un Ghiro, profondamente addormentato, che gli altri due usavano come cuscino, appoggiandovisi con i gomiti e chiacchierando sopra la sua testa. "Molto scomodo per il Ghiro," pensò Alice, "solo che, dato che dorme, suppongo che non gliene importi niente."

La tavola era piuttosto grande, ma i tre si erano tutti ammassati in un angolo: "Non c'è posto! Non c'è posto!", si misero a gridare quando videro Alice avvicinarsi. "C'è un *sacco* di posto!" disse Alice con aria indignata, e si sedette in una grande poltrona a una delle estremità della tavola.

"Prendi un po' di vino," disse la Lepre Marzolina in tono incoraggiante.

Alice guardò tutt'intorno sulla tavola, ma non vide altro che del the. "Vino non ne vedo," osservò.

"Perché non ce n'è," disse la Lepre Marzolina.

"Allora non è stato molto educato da parte sua offrirmelo," disse Alice con irritazione.

"Non è stato molto educato da parte tua sederti qui senza essere stata invitata," disse la Lepre Marzolina.

"Non sapevo che fosse la *vostra* tavola," disse Alice, "è preparata per molta più gente che solo per tre."

"Devi farti tagliare i capelli," disse il Cappellaio. Aveva osservato Alice per qualche tempo con grande curiosità, e questa fu la prima cosa che disse.

"You should learn not to make personal remarks," Alice said with some severity: "It's very rude."

The Hatter opened his eyes very wide on hearing this; but all he said was, "Why is a raven like a writing-desk?"

"Come, we shall have some fun now!" thought Alice. "I'm glad they've begun asking riddles—I believe I can guess that," she added aloud.

"Do you mean that you think you can find out the answer to it?" said the March Hare.

"Exactly so," said Alice.

"Then you should say what you mean," the March Hare went on.

"I do," Alice hastily replied; "at least—at least I mean what I say—that's the same thing, you know."

"Not the same thing a bit!" said the Hatter. "Why, you might just as well say that 'I see what I eat' is the same thing as 'I eat what I see'!"

"You might just as well say," added the March Hare, "that 'I like what I get' is the same thing as 'I get what I like'!"

"You might just as well say," added the Dormouse, which seemed to be talking in its sleep, "that 'I breathe when I sleep' is the same thing as 'I sleep when I breathe'!"

"It is the same thing with you," said the Hatter, and here the conversation dropped, and the party sat silent for a minute, while Alice thought over all she could remember about ravens and writing-desks, which wasn't much.

The Hatter was the first to break the silence. "What day of the month is it?" he said, turning to Alice: he had taken his watch out of his pocket, and was looking at it uneasily, shaking it every now and then, and holding it to his ear.

Alice considered a little, and then said, "The fourth."

"Two days wrong!" sighed the Hatter. "I told you

"Lei dovrebbe imparare a non fare osservazioni personali," disse Alice con una certa severità, "è una cosa molto villana."

Il Ghiro, sentendo questo, spalancò gli occhi, ma tutto quel che *disse* fu: "Che differenza c'è tra un corvo e uno scrittoio?".

"Bene, adesso potremo anche divertirci un po'!" pensò Alice. "Sono contenta che abbiano cominciato con gli indovinelli. – Questo credo di saperlo," aggiunse ad alta voce.

"Vuoi dire che pensi di poter dare la giusta risposta al problema?" disse la Lepre Marzolina.

"Proprio così," disse Alice.

"Allora dovresti dire quel che pensi," proseguì la Lepre Marzolina.

"Certo," rispose Alice in fretta, "o almeno... almeno penso quel che dico... che poi, sapete, è la stessa cosa."

"Non è la stessa cosa per niente!" disse il Cappellaio, "Alla stessa stregua potresti dire che 'Io vedo quel che mangio' è la stessa cosa che dire 'Io mangio quel che vedo'!"

"Alla stessa stregua potresti dire," aggiunse la Lepre Marzolina, "che 'A me piace quel che mi prendo' è la stessa cosa che 'Io mi prendo quel che mi piace'!"

"Alla stessa stregua potresti dire," aggiunse il Ghiro, che sembrava parlasse nel sonno, "che 'Io respiro quando dormo' è la stessa cosa che 'Io dormo quando respiro'!"

"È la *stessa* cosa per quel che riguarda *te*," disse il Cappellaio, e qui la conversazione si spense, e la compagnia rimase seduta in silenzio per un minuto, mentre Alice passava in rassegna tutto quel che ricordava di corvi e di scrittoi, che poi non era gran cosa.

Il Cappellaio fu il primo a rompere il silenzio. "Che giorno del mese è oggi?" disse, rivolgendosi ad Alice; aveva tirato fuori l'orologio di tasca, e lo stava osservando un po' a disagio, scuotendolo di continuo, e portandoselo all'orecchio.

Alice rifletté un poco, e poi disse: "È il quattro".

"Indietro di due giorni!" sospirò il Cappellaio. "Te l'ave-

butter wouldn't suit the works!" he added, looking angrily at the March Hare.

"It was the best butter," the March Hare meekly replied.

"Yes, but some crumbs must have got in as well," the Hatter grumbled: "you shouldn't have put it in with the breadknife."

The March Hare took the watch and looked at it gloomily: then he dipped it into his cup of tea, and looked at it again: but he could think of nothing better to say than his first remark, "It was the best butter, you know."

Alice had been looking over his shoulder with some curiosity. "What a funny watch!" she remarked. "It tells the day of the month, and doesn't tell what o'clock it is!"

"Why should it?" muttered the Hatter. "Does your watch tell you what year it is?"

"Of course not," Alice replied very readily: "but that's because it stays the same year for such a long time together."

"Which is just the case with mine," said the Hatter.

Alice felt dreadfully puzzled. The Hatter's remark seemed to her to have no sort of meaning in it, and yet it was certainly English. "I don't quite understand you," she said, as politely as she could.

"The Dormouse is asleep again," said the Hatter, and he poured a little hot tea upon its nose.

The Dormouse shook its head impatiently, and said, without opening its eyes, "Of course, of course: just what I was going to remark myself."

"Have you guessed the riddle yet?" the Hatter said, turning to Alice again.

"No, I give it up," Alice replied. "What's the answer?"

"I haven't the slightest idea," said the Hatter.

"Nor I," said the March Hare.

Alice sighed wearily. "I think you might do something better with the time," she said, "than wasting it in asking riddles that have no answers."

vo detto che il burro non era quel che ci voleva!" aggiunse guardando con ira la Lepre Marzolina.

"Era il burro *migliore*," rispose timidamente la Lepre Marzolina.

"Sì, ma ci sono finite dentro anche delle briciole," brontolò il Cappellaio: "Non avresti dovuto spalmarlo con il coltello del pane".

La Lepre Marzolina tirò fuori il suo orologio e lo guardò con aria tetra; poi lo inzuppò nella propria tazza di the, e di nuovo lo guardò; ma non trovò niente di meglio da dire se non la sua prima affermazione: "Sai, il burro era proprio il *migliore*".

Alice lo aveva guardato di sopra la spalla con una certa curiosità. "Che buffo orologio!" osservò. "Dice in che giorno del mese siamo, ma non dice che ora è!"

"E perché dovrebbe?" mormorò il Cappellaio. "Il *tuo* orologio ti dice in che anno siamo?"

"Certo che no," rispose Alice molto prontamente, "ma questo perché un anno è sempre quello per un sacco di tempo."

"Che è esattamente il caso del *mio*," disse il Cappellaio.

Alice si sentì terribilmente sconcertata. L'affermazione del Cappellaio non sembrava avere alcun senso, eppure certamente stava parlando la sua stessa lingua. "Non riesco a capirla bene," disse con il tono più educato possibile.

"Il Ghiro si è di nuovo addormentato," disse il Cappellaio, e gli versò un po' di the caldo su per il naso.

Il Ghiro scosse la testa con impazienza, e disse, senza neppure aprire gli occhi: "Sicuro, sicuro; proprio quello che stavo per dire anch'io".

"Allora, hai risolto l'indovinello?" disse il Cappellaio, rivolgendosi di nuovo ad Alice.

"No, mi arrendo," rispose Alice. "Qual è la risposta?"

"Non ne ho la minima idea," disse il Cappellaio.

"Neanch'io," disse la Lepre Marzolina.

Alice sospirò con aria annoiata. "Credo che dovreste usare un po' meglio il vostro tempo," disse, "invece di sprecarlo a tirar fuori indovinelli che non hanno risposta."

"If you knew Time as well as I do," said the Hatter, *"you wouldn't talk about wasting it. It's him."*

"I don't know what you mean," said Alice.

"Of course you don't!" the Hatter said, tossing his head contemptuously. *"I dare say you never even spoke to Time!"*

"Perhaps not," Alice cautiously replied; *"but I know I have to beat time when I learn music."*

"Ah! That accounts for it," said the Hatter. *"He won't stand beating. Now, if you only kept on good terms with him, he'd do almost anything you liked with the clock. For instance, suppose it were nine o'clock in the morning, just time to begin lessons: you'd only have to whisper a hint to Time, and round goes the clock in a twinkling! Half-past one, time for dinner!"*

("I only wish it was," the March Hare said to itself in a whisper.)

"That would be grand, certainly," said Alice thoughtfully; *"but then—I shouldn't be hungry for it, you know."*

"Not at first, perhaps," said the Hatter: *"but you could keep it to half-past one as long as you liked."*

"Is that the way you manage?" Alice asked.

The Hatter shook his head mournfully. *"Not I!"* he replied. *"We quarreled last March—just before he went mad, you know—"* (pointing with his teaspoon at the March Hare), *"—it was at the great concert given by the Queen of Hearts, and I had to sing*

'Twinkle, twinkle, little bat!
How I wonder what you're at!'

You know the song, perhaps?"

"I've heard something like it," said Alice.

"It goes on, you know," the Hatter continued, *"in this way:—*

'Up above the world you fly,
Like a tea-tray in the sky.
Twinkle, twinkle—'"

"Se tu conoscessi il Tempo come lo conosco io," disse il Cappellaio, "non parleresti tanto di sprecarlo. È *lui*."

"Non capisco quel che vuol dire," disse Alice.

"Certo che non capisci!" disse il Cappellaio, scuotendo la testa con disprezzo. "Oso dire che non hai neanche mai parlato con il Tempo!"

"Forse no," rispose Alice con cautela, "ma so che devo battere il tempo quando studio musica."

"Ah, allora ecco perché!" disse il Cappellaio. "Lui non tollera di essere battuto. Ora, se tu fossi stata in buoni rapporti con lui, avrebbe fatto tutto quel che volevi con l'orologio. Per esempio, immagina che siano le nove del mattino, il tempo giusto per cominciare le lezioni; ti basta sussurrare un suggerimento al Tempo, e via che la lancetta corre avanti in un battibaleno. L'una e mezza, ora di pranzo!"

("Vorrei che fosse così davvero," disse la Lepre Marzolina, tra sé e sé, in un sussurro.)

"Sarebbe grandioso, certo," disse, pensierosa, Alice, "ma allora... sa: non potrei aver fame."

"Non sul momento, forse," disse il Cappellaio, "ma potresti fermarti lì sull'una e mezza finché ti pare."

"È così che fate anche *voi*?" chiese Alice.

Il Cappellaio scosse la testa con tristezza. "Io no!" rispose. "Abbiamo litigato il Marzo scorso... proprio prima che *lei* diventasse matta, sai..." (puntando il suo cucchiaino contro la Lepre Marzolina) "...è stato al gran concerto dato dalla Regina di Cuori, quando io dovevo cantare

Stella, stellina,
il buio si avvicina![6]

La canzone la conosci, magari?"

"Ho sentito qualcosa del genere," disse Alice.

"Poi, sai," continuò il Cappellaio, "va avanti così:

E la fiamma intanto
incendia tutto quanto.
Stella, stellina..."

Here the Dormouse shook itself, and began singing in its sleep, "Twinkle, twinkle, twinkle, twinkle—" and went on so long that they had to pinch it to make it stop.

"Well, I'd hardly finished the first verse," said the Hatter, "when the Queen bawled out 'He's murdering the time! Off with his head!'"

"How dreadfully savage!" exclaimed Alice.

"And ever since that," the Hatter went on in a mournful tone, "he won't do a thing I ask! It's always six o'clock now."

A bright idea came into Alice's head. "Is that the reason so many tea-things are put out here?" she asked.

"Yes, that's it," said the Hatter with a sigh: "it's always tea-time, and we've no time to wash the things between whiles."

"Then you keep moving round, I suppose?" said Alice.

"Exactly so," said the Hatter: "as the things get used up."

"But what happens when you come to the beginning again?" Alice ventured to ask.

"Suppose we change the subject," the March Hare interrupted, yawning. "I'm getting tired of this. I vote the young lady tells us a story."

"I'm afraid I don't know one," said Alice, rather alarmed at the proposal.

"Then the Dormouse shall!" they both cried. "Wake up, Dormouse!" And they pinched it on both sides at once.

The Dormouse slowly opened his eyes. "I wasn't asleep," it said in a hoarse, feeble voice, "I heard every word you fellows were saying."

"Tell us a story!" said the March Hare.

"Yes, please do!" pleaded Alice.

"And be quick about it," added the Hatter, "or you'll be asleep again before it's done."

"Once upon a time there were three little sisters," the

Qui il Ghiro si riscosse, e cominciò a cantare nel sonno: "Stella stellina, stella stellina, stella stellina...", e andò avanti per così tanto tempo che dovettero dargli un pizzicotto per farlo smettere.

"Be', avevo finito sì e no la prima strofa," disse il Cappellaio, "quando la Regina saltò su e sbraitò: 'Sta massacrando il tempo! Tagliategli la testa!'."

"Ma che crudeltà orribile!" esclamò Alice.

"Ed è da quella volta," continuò il Cappellaio con un tono di voce funebre, "che lui non fa niente di quel che gli chiedo! Anche adesso segna sempre le sei."

Un'idea brillante venne in mente ad Alice. "È per questo motivo che ci sono qui fuori tante cose per il the?" chiese.

"Sì, proprio così," disse il Cappellaio con un sospiro, "è sempre l'ora del the, e in mezzo non c'è mai il tempo per lavare le cose."

"Quindi continuate a spostarvi attorno al tavolo, suppongo," disse Alice.

"Esattamente," disse il Cappellaio: "A mano a mano che le tazze vengono usate".

"Ma che cosa succede quando finite il giro del tavolo?" si arrischiò a chiedere Alice.

"E se cambiassimo argomento?" li interruppe la Lepre Marzolina, sbadigliando. "Mi sto stufando di questo. Propongo che sia la signorina a raccontarci una storia."

"Ho paura di non saperne neanche una," disse Alice, piuttosto preoccupata all'idea.

"Allora lo farà il Ghiro!" gridarono tutti e due. "Svegliati, Ghiro!" E insieme presero a pizzicarlo da una parte e dall'altra.

Il Ghiro lentamente aprì gli occhi. "Non stavo dormendo," disse piano, con voce roca, "non ho perso neanche una parola di quel che voi altri avete detto."

"Raccontaci una storia!" disse la Lepre Marzolina.

"Sì, per piacere!" supplicò Alice.

"E parla un po' in fretta," aggiunse il Cappellaio, "altrimenti ti addormenterai di nuovo prima che sia finita."

"C'erano una volta tre sorelline," cominciò il Ghiro di

Dormouse began in a great hurry; "and their names were Elsie, Lacie, and Tillie, and they lived at the bottom of a well—"

"What did they live on?" said Alice, who always took a great interest in questions of eating and drinking.

"They lived on treacle," said the Dormouse, after thinking a minute or two.

"They couldn't have done that, you know," Alice gently remarked. "They'd have been ill."

"So they were," said the Dormouse; "very ill."

Alice tried a little to fancy to herself what such an extraordinary way of living would be like, but it puzzled her too much: so she went on: "But why did they live at the bottom of a well?"

"Take some more tea," the March Hare said to Alice, very earnestly.

"I've had nothing yet," Alice replied in an offended tone: "so I can't take more."

"You mean you can't take *less*," said the Hatter: "it's very easy to take *more* than nothing."

"Nobody asked *your* opinion," said Alice.

"Who's making personal remarks now?" the Hatter asked triumphantly.

Alice did not quite know what to say to this: so she helped herself to some tea and bread-and-butter, and then turned to the Dormouse, and repeated her question. "Why did they live at the bottom of a well?"

The Dormouse again took a minute or two to think about it, and then said, "It was a treacle-well."

"There's no such thing!" Alice was beginning very angrily, but the Hatter and the March Hare went "Sh! Sh!" and the Dormouse sulkily remarked, "If you can't be civil, you'd better finish the story for yourself."

"No, please go on!" Alice said very humbly. "I won't interrupt you again. I dare say there may be one."

"One, indeed!" said the Dormouse indignantly.

gran carriera, "che si chiamavano Elsie, Lacie, e Tillie; e vivevano in fondo a un pozzo..."

"E di che cosa vivevano?" disse Alice, sempre molto interessata alle questioni relative al mangiare e al bere.

"Vivevano di melassa," disse il Ghiro, dopo averci pensato un paio di minuti.

"Non è possibile che fosse così, mi creda," osservò gentilmente Alice, "si sarebbero ammalate."

"E infatti," disse il Ghiro, "erano *molto* ammalate."

Alice cercò di immaginarsi come sarebbe stato vivere in quel modo così straordinario, ma la cosa la sconcertava troppo, e pertanto continuò: "Ma perché vivevano in fondo a un pozzo?".

"Prendi un po' più the," disse la Lepre Marzolina ad Alice, molto cordialmente.

"Non ne ho bevuto neanche un goccio," replicò Alice, in tono offeso, "e quindi non posso prenderne un po' più."

"Vorrai dire che non puoi prenderne un po' *meno*," disse il Cappellaio; "se non ne hai preso niente, è facile prenderne di *più*."

"Nessuno le ha chiesto la *sua* opinione," disse Alice.

"Chi è che sta facendo delle osservazioni personali adesso?" chiese il Cappellaio con aria di trionfo.

Alice non sapeva bene che cosa rispondere a questo: così si servì di un po' di the e pane-e-burro, e poi si rivolse al Ghiro, e rifece la sua domanda. "Perché vivevano in fondo a un pozzo?"

Il Ghiro ancora una volta impiegò uno o due minuti a pensarci, poi disse: "Era un pozzo di melassa".

"Ma una cosa del genere non esiste!" Alice stava cominciando tutta arrabbiata, ma il Cappellaio e la Lepre Marzolina fecero "Ssst! Ssst!" e il Ghiro, irritato, osservò: "Se non ce la fai a essere bene educata, la storia puoi anche finirla tu".

"No, per piacere vada avanti!" disse Alice in tono molto umile. "Non la interrompo più. Penso che almeno *uno* ce ne sia."

"Uno, come no!" disse il Ghiro tutto indignato. Comun-

However, he consented to go on. "And so these three little sisters—they were learning to draw, you know—"

"What did they draw?" said Alice, quite forgetting her promise.

"Treacle," said the Dormouse, without considering at all this time.

"I want a clean cup," interrupted the Hatter: "let's all move one place on."

He moved on as he spoke, and the Dormouse followed him: the March Hare moved into the Dormouse's place, and Alice rather unwillingly took the place of the March Hare. The Hatter was the only one who got any advantage from the change; and Alice was a good deal worse off than before, as the March Hare had just upset the milk-jug into his plate.

Alice did not wish to offend the Dormouse again, so she began very cautiously: "But I don't understand. Where did they draw the treacle from?"

"You can draw water out of a waterwell," said the Hatter; "so I should think you could draw treacle out of a treacle-well—eh, stupid?"

"But they were in the well," Alice said to the Dormouse, not choosing to notice this last remark.

"Of course they were," said the Dormouse: "well in."

This answer so confused poor Alice, that she let the Dormouse go on for some time without interrupting it.

"They were learning to draw," the Dormouse went on, yawning and rubbing its eyes, for it was getting very sleepy; "and they drew all manner of things—everything that begins with an M—"

"Why with an M?" said Alice.

"Why not?" said the March Hare.

Alice was silent.

The Dormouse had closed its eyes by this time, and was going off into a doze; but, on being pinched by the Hatter, it woke up again with a little shriek, and went on: "—that begins with an M, such as mouse-traps, and the moon, and memory, and muchness—you know you

que, accettò di andare avanti. "E così queste tre sorelline... sai: stavano imparando a disegnare..."

"Che cosa disegnavano?" disse Alice, dimenticando completamente la promessa fatta.

"Melassa," disse il Ghiro, stavolta senza pensarci un attimo.

"Voglio una tazza pulita," interruppe il Cappellaio. "Spostiamoci tutti di un posto."

Parlando si spostò, e il Ghiro lo seguì; la Lepre Marzolina si spostò al posto del Ghiro, e Alice di controvoglia prese il posto della Lepre Marzolina. Il Cappellaio era l'unico ad aver tratto vantaggio dal cambiamento: e Alice si trovò messa molto peggio di prima, dato che la Lepre Marzolina aveva appena rovesciato il bricco del latte nel suo piatto.

Alice non voleva offendere ancora una volta il Ghiro, e dunque cominciò con molta cautela: "Ma non capisco. Da dove prendevano la melassa?".

"Si può prendere acqua da un pozzo d'acqua," disse il Cappellaio, "così penso che si possa prendere della melassa da un pozzo di melassa... eh, sciocchina?"

"Ma loro erano *dentro* il pozzo," disse Alice al Ghiro, decidendo di non raccogliere quest'ultima osservazione.

"Certo che erano..." disse il Ghiro, "... proprio dentro."

Questa risposta mise Alice in tale confusione, che per un po' lasciò andare avanti il Ghiro senza interromperlo.

"Stavano imparando a disegnare," proseguì il Ghiro, sbadigliando e strofinandosi gli occhi, perché gli era proprio venuto molto sonno, "e disegnavano di tutto... tutto quello che cominciava con una V..."

"E perché con una V?" disse Alice.

"E perché no?" disse la Lepre Marzolina.

Alice rimase zitta.

A questo punto il Ghiro aveva già chiuso gli occhi, e stava andando in trance; ma a un pizzicotto del Cappellaio si risvegliò con un gridolino, proseguì: "...che cominciava con una V, così come vassoio, e vertice, e voltafaccia, e verosimiglianza – sai che si parla di cose che hanno 'una

say things are 'much of a muchness'—did you ever see such a thing as a drawing of a muchness!"

"Really, now you ask me," said Alice, very much confused, "I don't think—"

"Then you shouldn't talk," said the Hatter.

This piece of rudeness was more than Alice could bear: she got up in great disgust, and walked off: the Dormouse fell asleep instantly, and neither of the others took the least notice of her going, though she looked back once or twice, half hoping that they would call after her: the last time she saw them, they were trying to put the Dormouse into the teapot.

"At any rate I'll never go there again!" said Alice, as she picked her way through the wood. "It's the stupidest tea-party I ever was at in all my life!"

Just as she said this, she noticed that one of the trees had a door leading right into it. "That's very curious!" she thought. "But everything's curious to-day. I think I may as well go in at once." And in she went.

Once more she found herself in the long hall, and close to the little glass table. "Now, I'll manage better this time," she said to herself, and began by taking the little golden key, and unlocking the door that led into the garden. Then she set to work nibbling at the mushroom (she had kept a piece of it in her pocket)

* * *
* *
*

till she was about a foot high: then she walked down the little passage: and then—she found herself at last in the beautiful garden, among the bright flower-beds and the cool fountains.

134

grande verosimiglianza'... ma hai mai visto cose come un ritratto di una verosimiglianza?".

"Per dir la verità, adesso che me lo chiede," disse Alice, molto confusa, "non credo..."

"E allora non dovresti neanche parlare," disse il Cappellaio.

Questo bell'esempio di maleducazione era più di quel che Alice potesse sopportare; si alzò in piedi con aria di grande disgusto, e se ne andò via; il Ghiro si addormentò all'istante, e nessuno degli altri due prese minimamente atto del suo allontanarsi, sebbene lei una o due volte si voltasse indietro, quasi sperando che la richiamassero: l'ultima volta che li vide, stavano cercando di mettere il Ghiro dentro la teiera.

"In ogni caso *lì* non ci torno più!" disse Alice, facendosi strada nel bosco. "È il più stupido ricevimento a cui abbia mai preso parte in vita mia!"

Proprio come disse questo, si accorse che uno degli alberi aveva una porta che conduceva all'interno del tronco. "Questo è davvero strano!" pensò. "Ma tutto è strano quest'oggi. Credo che tanto vale che vada dentro subito." Ed entrò.

Ancora una volta si trovò nella lunga sala, e vicino al tavolino di vetro. "Bene, stavolta me la caverò meglio," si disse, e cominciò col prendere la piccola chiave d'oro, e ad aprire la porta che conduceva nel giardino. Poi si mise al lavoro, sbocconcellando il fungo (ne aveva conservato un pezzetto in tasca)

* * *
* *
*

finché non fu alta più o meno un piede; poi traversò il piccolo passaggio; e *poi*... si ritrovò finalmente in quel bellissimo giardino, tra le luminose aiuole di fiori e le fresche fontane.

VIII
The Queen's Croquet-Ground

A large rose-tree stood near the entrance of the garden: the roses growing on it were white, but there were three gardeners at it, busily painting them red. Alice thought this a very curious thing, and she went nearer to watch them, and, just as she came up to them, she heard one of them say, "Look out now, Five! Don't go splashing paint over me like that!"

"I couldn't help it," said Five, in a sulky tone. "Seven jogged my elbow."

On which Seven looked up and said, "That's right, Five! Always lay the blame on others!"

"You'd better not talk!" said Five. "I heard the Queen say only yesterday you deserved to be beheaded."

"What for?" said the one who had spoken first.

"That's none of your business, Two!" said Seven.

"Yes, it is his business!" said Five.

"And I'll tell him—it was for bringing the cook tulip-roots instead of onions."

Seven flung down his brush, and had just begun, "Well, of all the unjust things—" when his eye chanced to fall upon Alice, as she stood watching them, and he checked himself suddenly: the others looked round also, and all of them bowed low.

"Would you tell me, please," said Alice, a little timidly, "why you are painting those roses?"

VIII

Il campo di croquet della Regina

Un grande rosaio si trovava all'ingresso del giardino: le rose che vi crescevano erano bianche, ma vi erano tre giardinieri tutti impegnati a tingerle di rosso. Alice pensò che questa era una cosa molto strana, e si avvicinò per osservarli, e giusto quando gli fu accanto sentì uno di loro dire: "Sta' un po' attento, Cinque! Mi hai tutto spruzzato di vernice, non lo vedi?".

"Non è stata colpa mia," disse Cinque, con tono offeso. "È stato Sette, che mi ha urtato il gomito."

Al che Sette alzò gli occhi e disse: "Bravo, Cinque! Sempre dar la colpa agli altri!".

"*Tu* faresti meglio a star zitto!" disse Cinque. "Ancora ieri ho sentito la Regina dire che ti meritavi d'esser decapitato!"

"E per che cosa?" disse quello che aveva parlato per primo.

"Questi non sono affari *tuoi*, Due!" disse Sette.

"E invece sì che è affar suo!" disse Cinque. "E glielo dico io perché... Perché ha portato al cuoco dei bulbi di tulipano invece delle cipolle."

Sette gettò a terra il suo pennello, e aveva appena cominciato con "Be', di tutte le calunnie..." quando per caso l'occhio gli cadde su Alice, che era lì a guardarli, e d'improvviso si dominò; anche gli altri si guardarono intorno, e tutti fecero un profondo inchino.

"Potreste dirmi," disse Alice, un po' timidamente, "perché state dipingendo quelle rose?"

Five and Seven said nothing, but looked at Two. Two began, in a low voice, "Why, the fact is, you see, Miss, this here ought to have been a red rose-tree, and we put a white one in by mistake; and, if the Queen was to find it out, we should all have our heads cut off, you know. So you see, Miss, we're doing our best, afore she comes, to—" At this moment, Five, who been anxiously looking across the garden, called out "The Queen! The Queen!" and the three gardeners instantly threw themselves flat upon their faces. There was a sound of many footsteps, and Alice looked round, eager to see the Queen.

First came ten soldiers carrying clubs: these were all shaped like the three gardeners, oblong and flat, with their hands and feet at the corners: next the ten courtiers: these were ornamented all over with diamonds, and walked two and two, as the soldiers did. After these came the royal children: there were ten of them, and the little dears came jumping merrily along, hand in hand, in couples: they were all ornamented with hearts. Next came the guests, mostly Kings and Queens, and among them Alice recognized the White Rabbit: it was talking in a hurried nervous manner, smiling at everything that was said, and went by without noticing her. Then followed the Knave of Hearts, carrying the King's crown on a crimson velvet cushion; and, last of all this grand procession, came THE KING AND THE QUEEN OF HEARTS.

Alice was rather doubtful whether she ought not to lie down on her face like the three gardeners, but she could not remember ever having heard of such a rule at processions; "and besides, what would be the use of a procession," thought she, "if people had all to lie down on their faces, so that they couldn't see it?" So she stood where she was, and waited.

When the procession came opposite to Alice, they all stopped and looked at her, and the Queen said, severely, "Who is this?" She said it to the Knave of Hearts, who only bowed and smiled in reply.

Cinque e Sette non dissero niente, ma si voltarono a guardare Due. E Due cominciò, a bassa voce: "Il fatto è, vede, signorina, che questo avrebbe dovuto essere un rosaio *rosso*, e noi invece per sbaglio ne abbiamo piantato uno bianco; e se la Regina l'avesse trovato, sa, ci avrebbe fatto tagliare la testa. Ecco che quindi vede, signorina, che noi si fa del nostro meglio, prima che venga qui, a...". In quello stesso momento, Cinque, che stava guardando ansiosamente in giro per il giardino, gridò: "La Regina! La Regina!", e i tre giardinieri si gettarono immediatamente a terra a faccia in giù. Si udì il rumore di molti passi, e Alice si guardò attorno, tutta curiosa di vedere la Regina.

Avanti a tutti c'erano dieci soldati armati con delle picche; avevano tutti la stessa costituzione dei giardinieri, bislunghi e piatti, con le mani e i piedi ai quattro angoli; poi i dieci cortigiani; questi erano tutti contrassegnati dal simbolo dei quadri delle carte da gioco, e camminavano a due a due, così come i soldati. Dopo di loro venivano i pargoli reali: erano in dieci, e questi cari piccoli procedevano saltellando allegramente qua e là, tenendosi per mano, a coppie; essi erano tutti contrassegnati da cuori. Poi venivano gli ospiti, per lo più Re e Regine, e tra di loro Alice riconobbe il Coniglio Bianco; stava parlando con fare eccitato e nervoso, sorridendo a tutto ciò che veniva detto, e passò via senza accorgersi di lei. Poi seguiva il Fante di Cuori, con la corona del Re su un cuscino di velluto color porpora; e, finalmente, ultimi fra tutti in questa grande processione, ecco IL RE E LA REGINA DI CUORI.

Alice era alquanto in dubbio sul fatto di mettersi lì sdraiata a faccia in giù come i tre giardinieri, ma non riusciva a ricordarsi di aver mai sentito di una tal regola per le sfilate; "E oltre tutto, a che cosa servirebbe una sfilata," pensò, "se la gente dovesse stare sdraiata a faccia in giù, in modo da non poter vedere niente?". Così rimase lì in piedi dov'era, ad aspettare.

Quando il corteo arrivò davanti ad Alice, tutti si fermarono a guardarla, e la Regina disse con aria severa: "E questa chi è?". Lo disse rivolta al Fante di Cuori, che per tutta risposta si inchinò e sorrise.

"Idiot!" said the Queen, tossing her head impatiently; and, turning to Alice, she went on: "What's your name, child?"

"My name is Alice, so please your Majesty," said Alice very politely; but she added, to herself, "Why, they're only a pack of cards, after all. I needn't be afraid of them!"

"And who are these?" said the Queen, pointing to the three gardeners who were lying round the rose-tree; for, you see, as they were lying on their faces, and the pattern on their backs was the same as the rest of the pack, she could not tell whether they were gardeners, or soldiers, or courtiers, or three of her own children.

"How should I know?" said Alice, surprised at her own courage. "It's no business of mine."

The Queen turned crimson with fury, and, after glaring at her for a moment like a wild beast, began screaming, "Off with her head. Off with—"

"Nonsense!" said Alice, very loudly and decidedly, and the Queen was silent.

The King laid his hand upon her arm, and timidly said, "Consider, my dear: she is only a child!"

The Queen turned angrily away from him, and said to the Knave, "Turn them over!"

The Knave did so, very carefully, with one foot.

"Get up!" said the Queen in a shrill, loud voice, and the three gardeners instantly jumped up, and began bowing to the King, the Queen, the royal children, and everybody else.

"Leave off that!" screamed the Queen. "You make me giddy." And then, turning to the rose-tree, she went on, "What have you been doing here?"

"May it please your Majesty," said Two, in a very humble tone, going down on one knee as he spoke, "we were trying—"

"I see!" said the Queen, who had meanwhile been examining the roses.

"Idiota!" disse la Regina, scotendo con impazienza la testa; poi, rivolta ad Alice, continuò: "Come ti chiami, bambina?".

"Mi chiamo Alice, col permesso di vostra Maestà," disse Alice molto educatamente; ma poi aggiunse, a se stessa: "Ma insomma, sono soltanto un mazzo di carte, dopo tutto. Non è il caso che io abbia paura di loro!".

"E chi sono *questi*?" disse la Regina, indicando i tre giardinieri sdraiati a terra attorno al rosaio; perché, dovete sapere che siccome erano sdraiati a faccia in giù, e il disegno sulle loro schiene era identico a quello del resto del mazzo, lei non capiva se erano dei giardinieri, o dei soldati, o dei cortigiani, o tre dei suoi bambini.

"E *io* come faccio a saperlo?" disse Alice, meravigliandosi del proprio stesso ardire. "Non è affar *mio*."

La Regina si fece tutta rossa per la rabbia, e dopo averla fissata per un lungo momento come una bestia feroce, urlò: "Tagliatele la testa! Via...".

"Sciocchezze!" disse Alice con voce forte e decisa, e la Regina tacque.

Il Re pose una mano sul braccio della Regina, e disse, timidamente: "Tenete conto, mia cara, che è solo una bambina!".

La Regina si allontanò rabbiosamente da lui, e disse al Fante: "Rivoltateli!".

Il Fante eseguì, con molta cautela, con uno dei piedi.

"In piedi!" disse la Regina, con voce forte e stridula, e i tre giardinieri subito saltarono su, e cominciarono a fare inchini al Re, alla Regina, ai pargoli reali, e a tutti gli altri.

"Smettetela con questa roba!" strillò la Regina. "Mi fate girare la testa." E poi, voltandosi verso il rosaio, proseguì: "Che cosa *stavate* facendo qui?".

"Col permesso di vostra Maestà," disse Due, con tono umilissimo, piegando a terra un ginocchio, "stavamo cercando..."

"Lo *vedo*!" disse la Regina, che nel frattempo era andata esaminando le rose.

"Off with their heads!" and the procession moved on, three of the soldiers remaining behind to execute the unfortunate gardeners, who ran to Alice for protection.

"You shan't be beheaded!" said Alice, and she put them into a large flower-pot that stood near. The three soldiers wandered about for a minute or two, looking for them, and then quietly marched off after the others.

"Are their heads off?" shouted the Queen.

"Their heads are gone, if it please your Majesty!" the soldiers shouted in reply.

"That's right!" shouted the Queen. "Can you play croquet?"

The soldiers were silent, and looked at Alice, as the question was evidently meant for her.

"Yes!" shouted Alice.

"Come on, then!" roared the Queen, and Alice joined the procession, wondering very much what would happen next.

"It's—it's a very fine day!" said a timid voice at her side. She was walking by the White Rabbit, who was peeping anxiously into her face.

"Very," said Alice. "Where's the Duchess?"

"Hush! Hush!" said the Rabbit in a low, hurried tone. He looked anxiously over his shoulder as he spoke, and then raised himself upon tiptoe, put his mouth close to her ear, and whispered, "She's under sentence of execution."

"What for?" said Alice.

"Did you say 'What a pity!'?" the Rabbit asked.

"No, I didn't," said Alice. "I don't think it's at all a pity. I said 'What for?'"

"She boxed the Queen's ears—" the Rabbit began. Alice gave a little scream of laughter. "Oh, hush!" the Rabbit whispered in a frightened tone. "The Queen will hear you! You see she came rather late, and the Queen said—"

"Get to your places!" shouted the Queen in a voice of thunder, and people began running about in all directions tumbling up against each other: however, they

"Tagliategli la testa!" e il corteo riprese il suo andare, mentre tre soldati rimanevano indietro per decapitare i malcapitati giardinieri, che corsero da Alice in cerca di protezione.

"Nessuno vi taglierà la testa!" disse Alice, e li mise tutti in un grande vaso di fiori che si trovava lì vicino. I tre soldati li andarono cercando per un paio di minuti, e poi tranquillamente marciarono via assieme agli altri.

"Sono state tagliate le teste?" gridò la Regina.

"Le teste non ci sono più, col permesso di vostra Maestà," i soldati gridarono in risposta.

"Molto bene!" gridò la Regina. "Sai giocare a croquet?"

I soldati tacevano, e guardarono Alice, dato che la domanda era evidentemente rivolta a lei.

"Sì!" gridò Alice.

"Vieni qui, allora!" ruggì la Regina, e Alice si unì al corteo, chiedendosi con grande curiosità che cosa sarebbe successo adesso.

"È... è una bellissima giornata!" disse una vocina timida al suo fianco. Alice stava camminando a fianco del Coniglio Bianco, che la scrutava ansiosamente in faccia.

"Davvero," disse Alice. "Dov'è la Duchessa?"

"Ssst! Ssst!" disse il Coniglio, a bassa voce e in tono urgente. E intanto si volse ansiosamente a guardare dietro le spalle, e poi, alzandosi sulle punte delle zampe, avvicinò la bocca all'orecchio di lei, e sussurrò: "È stata condannata a morte".

"Perché?"

"Hai detto: 'Peccato!'?" chiese il Coniglio.

"No, non ho detto: 'Peccato!'," disse Alice: "E non penso che sia un peccato un bel niente. Ho detto: 'Perché?'".

"Ha schiaffeggiato la Regina..." cominciò il Coniglio. Alice ebbe un breve scoppio di risa. "Oh, zitta!" bisbigliò il Coniglio tutto impaurito. "La Regina ti sente! Vedi, è arrivata qui un po' tardi, e la Regina ha detto che..."

"Ai vostri posti!" gridò la Regina con voce tonante, e la gente cominciò a correre qua e là in tutte le direzioni, inciampando l'uno sull'altro; comunque, in un paio di minu-

143

got settled down in a minute or two and the game began.

Alice thought she had never seen such a curious croquet-ground in her life: it was all ridges and furrows: the croquet balls were live hedgehogs, and the mallets live flamingoes, and the soldiers had to double themselves up and stand on their hands and feet, to make the arches.

The chief difficulty Alice found at first was in managing her flamingo: she succeeded in getting its body tucked away, comfortably enough, under her arm, with its legs hanging down, but generally, just as she had got its neck nicely straightened out, and was going to give the hedgehog a blow with its head, it would twist itself round and look up in her face, with such a puzzled expression that she could not help bursting out laughing; and, when she had got its head down, and was going to begin again, it was very provoking to find that the hedgehog had unrolled itself, and was in the act of crawling away: besides all this, there was generally a ridge or a furrow in the way wherever she wanted to send the hedgehog to, and, as the doubled-up soldiers were always getting up and walking off to other parts of the ground, Alice soon came to the conclusion that it was a very difficult game indeed.

The players all played at once, without waiting for turns, quarrelling all the while, and fighting for the hedgehogs; and in a very short time the Queen was in a furious passion, and went stamping about, and shouting, "Off with his head!" or "Off with her head!" about once in a minute.

Alice began to feel very uneasy: to be sure, she had not as yet had any dispute with the Queen, but she knew that it might happen any minute, "and then," thought she, "what would become of me? They're dreadfully fond of beheading people here: the great wonder is, that there's any one left alive!"

She was looking about for some way of escape, and wondering whether she could get away without being

ti tutti furono sistemati, e il gioco ebbe inizio. Alice pensò che non aveva mai visto in vita sua un campo di croquet così strano; era pieno di solchi e di buche, le bocce erano dei porcospini vivi, le mazze dei fenicotteri vivi, e i soldati dovevano piegarsi in due, puntandosi a terra con mani e piedi, per formare gli archetti.

La principale difficoltà che Alice incontrò sulle prime fu in merito all'utilizzo del suo fenicottero: le riusciva abbastanza comodamente di sistemarlo e custodirlo sotto il braccio, con le gambe penzoloni, ma poi di solito, quando riusciva a irrigidirgli bene il collo, e cercava con la testa di dare una mazzata al porcospino, quello si *girava* su se stesso e la guardava in faccia, con un'espressione tanto stupefatta che lei non poteva fare a meno di scoppiare a ridere; e anche quando lei riusciva a fargli abbassare la testa e stava per riprovare, era molto demoralizzante scoprire che nel frattempo il porcospino si era srotolato e stava strisciando via: oltre a questo, generalmente c'era un solco o una buca dovunque lei volesse spedire il porcospino, e, siccome i soldati piegati in due continuavano a raddrizzarsi e a spostarsi in altre parti del campo di gioco, Alice giunse presto alla conclusione che quello era un gioco veramente molto difficile.

I giocatori giocavano tutti contemporaneamente senza aspettare ciascuno il proprio turno, litigando di continuo, e disputandosi i porcospini; e in pochissimo tempo la Regina fu presa da una furiosa agitazione, e si aggirava pestando i piedi e gridando: "Tagliate la testa a quello lì!" oppure: "Tagliate la testa a quella là!" più o meno ogni mezzo minuto.

Alice cominciò a sentirsi molto a disagio: è vero che non aveva ancora avuto nessuna discussione con la Regina, ma sapeva anche che questo poteva accadere da un momento all'altro: "E allora," pensò, "che cosa sarà di me? Qui si divertono da matti a decapitare la gente; c'è solo da meravigliarsi che ci sia ancora qualcuno vivo!".

Si stava guardando attorno in cerca di una via di fuga, e chiedendosi se ce l'avrebbe fatta ad andarsene senza es-

seen, when she noticed a curious appearance in the air: it puzzled her very much at first, but after watching it a minute or two she made it out to be a grin, and she said to herself, "It's the Cheshire Cat: now I shall have somebody to talk to."

"How are you getting on?" said the Cat, as soon as there was mouth enough for it to speak with.

Alice waited till the eyes appeared, and then nodded. "It's no use speaking to it," she thought, "till its ears have come, or at least one of them." In another minute the whole head appeared, and then Alice put down her flamingo, and began an account of the game, feeling very glad she had some one to listen to her. The Cat seemed to think that there was enough of it now in sight, and no more of it appeared.

"I don't think they play at all fairly," Alice began, in rather a complaining tone, "and they all quarrel so dreadfully one can't hear oneself speak—and they don't seem to have any rules in particular: at least, if there are, nobody attends to them—and you've no idea how confusing it is all the things being alive: for instance, there's the arch I've got to go through next walking about at the other end of the ground—and I should have croqueted the Queen's hedgehog just now, only it ran away when it saw mine coming!"

"How do you like the Queen?" said the Cat in a low voice.

"Not at all," said Alice: "she's so extremely—" Just then she noticed that the Queen was close behind her, listening: so she went on "—likely to win, that it's hardly worth while finishing the game."

The Queen smiled and passed on.

"Who are you talking to?" said the King, coming up to Alice, and looking at the Cat's head with great curiosity.

"It's a friend of mine—a Cheshire Cat," said Alice: "allow me to introduce it."

sere vista, quando notò una curiosa apparizione per aria: sulle prime la cosa la lasciò molto perplessa, ma, dopo un paio di minuti di osservazione, constatò che si trattava di un grande ghigno, e si disse: "È il Gatto del Cheshire; finalmente avrò qualcuno con cui parlare".

"Come ti sta andando?" disse il Gatto, non appena ebbe a disposizione abbastanza bocca con cui parlare.

Alice attese che comparissero anche gli occhi, poi fece un cenno di saluto.

"Non serve a niente parlargli," pensò, "fino a che non gli sono arrivate anche le orecchie, o un orecchio almeno." Dopo un altro minuto comparve tutta la testa, e allora Alice si liberò del suo fenicottero, e cominciò un resoconto della partita, molto contenta di avere trovato finalmente qualcuno che la stesse ad ascoltare. Il Gatto sembrò pensare di essersi ormai reso visibile quanto bastava, e di lui non apparve altro.

"Credo che non stiano affatto giocando lealmente," cominciò Alice, con tono piuttosto deluso, "e discutono tutti con tanta violenza che uno non sente neanche quel che lui stesso sta dicendo... e non sembra che esistano regole precise; o almeno, se ce ne sono, nessuno le rispetta... e lei non ha un'idea di come confonda le idee il fatto che tutte le cose siano vive; per esempio, c'è quella porta che adesso dovrei passare, e che se ne sta andando in giro all'altra parte del campo... e a questo punto io avrei potuto bocciare il porcospino della Regina, che però è corso via quando ha visto arrivare il mio!"

"Ti piace la Regina?" disse il Gatto a bassa voce.

"Per niente," disse Alice: "È così evidente..." ma in quel momento si accorse che la Regina era proprio lì dietro di lei, e così proseguì: "...che vincerà lei, che davvero non val la pena finire la partita".

La Regina sorrise e si allontanò.

"Con chi *stai* parlando?" disse il Re, avvicinandosi ad Alice, e guardando la testa del Gatto con grande curiosità.

"È un amico mio – un Gatto del Cheshire," disse Alice: "Permetta che glielo presenti".

"I don't like the look of it at all," said the King: "however, it may kiss my hand, if it likes."

"I'd rather not," the Cat remarked.

"Don't be impertinent," said the King, "and don't look at me like that!" He got behind Alice as he spoke.

"A cat may look at a king," said Alice. "I've read that in some book, but I don't remember where."

"Well, it must be removed," said the King very decidedly; and he called to the Queen, who was passing at the moment, "My dear! I wish you would have this cat removed!"

The Queen had only one way of settling all difficulties, great or small. "Off with his head!" she said without even looking round.

"I'll fetch the executioner myself," said the King eagerly, and he hurried off.

Alice thought she might as well go back and see how the game was going on, as she heard the Queen's voice in the distance, screaming with passion. She had already heard her sentence three of the players to be executed for having missed their turns, and she did not like the look of things at all, as the game was in such confusion that she never knew whether it was her turn or not. So she went off in search of her hedgehog.

The hedgehog was engaged in a fight with another hedgehog, which seemed to Alice an excellent opportunity for croqueting one of them with the other: the only difficulty was, that her flamingo was gone across to the other side of the garden, where Alice could see it trying in a helpless sort of way to fly up into a tree.

By the time she had caught the flamingo and brought it back, the fight was over, and both the hedgehogs were out of sight: "but it doesn't matter much," thought Alice, "as all the arches are gone from this side of the ground." So she tucked it away under

"Non mi piace proprio per niente," disse il Re: "Comunque, se vuole, può baciarmi la mano".

"Non ci tengo affatto," precisò il Gatto.

"Non essere impertinente," disse il Re, "e non guardarmi a quel modo!" E dicendo questo si portò alle spalle di Alice.

"Un gatto può guardare in faccia un re," disse Alice. "L'ho letto in un qualche libro, ma non ricordo dove."

"Be', questo va eliminato," disse il Re con grande decisione, e si rivolse poi alla Regina, che stava passando di lì in quel momento: "Mia cara! Vorrei tanto che voi mi eliminaste questo gatto!".

La Regina aveva un solo modo di sistemare qualsiasi difficoltà, grande o piccola che fosse. "Tagliategli la testa!" disse, senza neanche guardarsi attorno.

"Vado io in persona a chiamare il boia," disse il Re con entusiasmo, e corse via.

Alice pensò che era forse meglio tornare indietro a vedere come stava andando la partita, dato che aveva sentito di lontano la voce della Regina, che strillava infuriata. L'aveva già sentita condannare a morte tre dei giocatori, colpevoli di aver perso il proprio turno, e non aveva nessuna voglia di seguire le cose, dato che la partita era in una tale confusione che lei non sapeva mai se era o non era il suo turno. Così andò in cerca del suo porcospino.

Il porcospino era impegnato in una lotta con un altro porcospino, il che parve ad Alice un'eccellente occasione per mandare il suo a bocciare l'altro: la sola difficoltà era il fatto che il suo fenicottero era finito dall'altra parte del giardino, dove Alice poté vederlo sforzarsi invano di volare in cima a un albero.

Ora che riuscì a catturare il fenicottero e a riportarlo indietro, la lotta si era conclusa, e tutti e due i porcospini erano spariti: "Ma non ha molta importanza," pensò Alice, "visto che tutte le porte se ne sono andate via da questo lato del campo da gioco". Così si rimise il fenicottero sotto

her arm, that it might not escape again, and went back to have a little more conversation with her friend.

When she got back to the Cheshire Cat, she was surprised to find quite a large crowd collected round it: there was a dispute going on between the executioner, the King, and the Queen, who were all talking at once, while all the rest were quite silent, and looked very uncomfortable.

The moment Alice appeared, she was appealed to by all three to settle the question, and they repeated their arguments to her, though, as they all spoke at once, she found it very hard to make out exactly what they said.

The executioner's argument was, that you couldn't cut off a head unless there was a body to cut it off from: that he had never had to do such a thing before, and he wasn't going to begin at his time of life.

The King's argument was, that anything that had a head could be beheaded, and that you weren't to talk nonsense.

The Queen's argument was that, if something wasn't done about it in less than no time, she'd have everybody executed, all round. (It was this last remark that had made the whole party look so grave and anxious.)

Alice could think of nothing else to say but "It belongs to the Duchess: you'd better ask her about it."

"She's in prison," the Queen said to the executioner: "fetch her here." And the executioner went off like an arrow.

The Cat's head began fading away the moment he was gone, and, by the time he had come back with the Duchess, it had entirely disappeared: so the King and the executioner ran wildly up and down looking for it, while the rest of the party went back to the game.

il braccio, in modo che non potesse scapparsene via un'altra volta, e tornò a chiacchierare un altro po' con il suo amico.

Tornando lì dov'era il Gatto del Cheshire, fu molto sorpresa nel trovare un bel po' di folla radunata attorno a lui; era in corso una discussione tra il boia, il Re e la Regina, i quali stavano parlando tutti insieme, mentre gli altri se ne stavano tutti in silenzio e sembravano molto a disagio.

Come Alice si fece vedere lì, i tre la invitarono a dirimere la questione, e ciascuno le ripeté le proprie ragioni, sebbene il fatto di parlare tutti insieme le rendesse molto difficile capire esattamente quel che dicevano.

Il boia sosteneva che non si può tagliare una testa se non c'è un corpo da cui tagliarla: che lui non aveva mai dovuto fare una cosa del genere, e che non aveva nessuna intenzione di cominciare a farlo alla *sua* età.

Il Re sosteneva che tutto ciò che aveva una testa poteva essere decapitato, e che il boia quindi non dicesse sciocchezze.

La Regina sosteneva che se qualcosa non fosse stato immediatamente fatto a proposito di quel Gatto, avrebbe fatto tagliare la testa a tutti i presenti. (Era stata quest'ultima osservazione che aveva fatto assumere a tutta la compagnia quell'aria così seria e preoccupata.)

Alice non riuscì a trovare niente da dire, se non: "È di proprietà della Duchessa: fareste meglio a chiederle il *suo* parere".

"È in prigione," disse la Regina al boia: "Portatela qui". E il boia partì come una freccia.

Come il boia si fu allontanato, la testa del Gatto cominciò a scolorarsi e svanire, e prima che quello fosse di ritorno con la Duchessa, era sparita del tutto; così il Re e il boia si diedero a cercarla correndo come matti da tutte le parti, mentre il resto della compagnia tornò alla partita.

IX
The Mock Turtle's Story

*"You can't think how glad I am to see you again,
you dear old thing!" said the Duchess, as she tucked her
arm affectionately into Alice's, and they walked off
together.*

*Alice was very glad to find her in such a pleasant
temper, and thought to herself that perhaps it was only
the pepper that had made her so savage when they met
in the kitchen.*

*"When I'm a Duchess," she said to herself (not in a
very hopeful tone, though), "I won't have any pepper in
my kitchen at all. Soup does very well without— Maybe
it's always pepper that makes people hot-tempered," she
went on, very much pleased at having found out a new
kind of rule, "and vinegar that makes them sour—and
camomile that makes them bitter—and—and barley-
sugar and such things that make children sweet-tem-
pered. I only wish people knew that: then they wouldn't
be so stingy about it, you know—"*

*She had quite forgotten the Duchess by this time,
and was a little startled when she heard her voice close
to her ear. "You're thinking about something, my dear,
and that makes you forget to talk. I can't tell you just
now what the moral of that is, but I shall remember it
in a bit."*

"Perhaps it hasn't one," Alice ventured to remark.

"Tut, tut, child!" said the Duchess. "Everything's got

IX

La storia della Finta Tartaruga

"Non puoi immaginare quanto sia contenta di rivederti, mia cara vecchia piccola!" disse la Duchessa, prendendo Alice affettuosamente a braccetto, e allontanandosi con lei.

Alice fu molto contenta di trovarla così di buonumore, e pensò dentro di sé che forse era stato soltanto il pepe che l'aveva resa così furiosa quando si erano incontrate in cucina.

"Il giorno che *io* sarò una Duchessa," si disse (senza troppa convinzione, però), "non vorrò avere *neanche un grano* di pepe nella mia cucina. La minestra è buonissima anche senza – e magari è proprio il pepe che rende sempre la gente così collerica," proseguì, molto soddisfatta per avere scoperto una regola di un nuovo tipo, "e l'aceto che fa diventare bisbetici, e la camomilla che fa diventare tristi... e... e lo zucchero d'orzo che fa diventare buoni i bambini. Io vorrei solo che la gente sapesse questo: che tutti potrebbero evitare di essere così meschini..."

Nel frattempo si era completamente dimenticata della Duchessa, e trasalì un poco quando ne sentì la voce vicino al suo orecchio. "Tu stai pensando a qualcosa, carina, e per questo ti dimentichi di parlare. Al momento non posso dirti qual è la morale di tutto questo, ma tra un attimo mi verrà in mente."

"Forse una morale non c'è," si arrischiò a farle notare Alice.

"Su, su, bambina!" disse la Duchessa. "Una morale c'è

a moral, if only you can find it." And she squeezed herself up closer to Alice's side as she spoke.

Alice did not much like her keeping so close to her: first, because the Duchess was very ugly: and secondly, because she was exactly the right height to rest her chin on Alice's shoulder, and it was an uncomfortably sharp chin. However, she did not like to be rude: so she bore it as well as she could.

"The game's going on rather better now," she said, by way of keeping up the conversation a little.

"'Tis so," said the Duchess: "and the moral of that is—'Oh, 'tis love, 'tis love, that makes the world go round!'"

"Somebody said," Alice whispered, "that it's done by everybody minding their own business!"

"Ah, well! It means much the same thing," said the Duchess, digging her sharp little chin into Alice's shoulder as she added, "and the moral of that is—'Take care of the sense, and the sounds will take care of themselves.'"

"How fond she is of finding morals in things!" Alice thought to herself.

"I dare say you're wondering why don't put my arm round your waist," the Duchess said, after a pause: "the reason is, that I'm doubtful about the temper of your flamingo. Shall I try the experiment?"

"He might bite," Alice cautiously replied, not feeling at all anxious to have the experiment tried.

"Very true," said the Duchess: "flamingoes and mustard both bite. And the moral of that is—'Birds of a feather flock together.'"

"Only mustard isn't a bird," Alice remarked.

"Right, as usual," said the Duchess: "what a clear way you have of putting things!"

"It's a mineral, I think," said Alice.

"Of course it is," said the Duchess, who seemed ready to agree to everything that Alice said: "there's a large mustard-mine near here. And the moral of that is—'The more there is of mine, the less there is of yours.'"

sempre dappertutto: basta saperla trovare." E parlando le si fece sempre più addosso.

Ad Alice non piaceva molto che lei le stesse così attaccata; in primo luogo perché la Duchessa era *molto* brutta; e in secondo luogo perché quella era esattamente dell'altezza giusta per appoggiare il mento sulla spalla di Alice, e quel mento era appuntito e molto fastidioso. Tuttavia, non volendo essere maleducata, lo sopportò quanto meglio le fu possibile.

"La partita adesso sta andando abbastanza bene," disse, tanto per tenere un po' viva la conversazione.

"Vero," disse la Duchessa, "e la morale è che... 'Oh sì, è l'amor, è l'amor che fa girare il mondo!'."

"Qualcuno dice," sussurrò Alice "che è perché ciascuno bada agli affari propri!"

"Ah, be'! Vuol dire più o meno la stessa cosa," disse la Duchessa, affondando il suo piccolo mento aguzzo nella spalla di Alice, mentre aggiungeva: "E la morale in *questo* caso è... 'Bada al senso, e le parole baderanno a se stesse'".

"Quanto le piace trovare morali nelle cose!" si disse Alice.

"Oso dire che ti stai chiedendo perché non ti passo un braccio attorno alla vita," disse la Duchessa dopo una pausa: "Il motivo è che non mi fido troppo del carattere del tuo fenicottero. Dici che posso rischiare?".

"Potrebbe beccare," rispose prudentemente Alice, che non aveva nessuna voglia di correre il rischio.

"Verissimo," disse la Duchessa, "i fenicotteri e la senape son tutte e due cose che beccano. E la morale è che... 'Uccelli dello stesso pelo volano insieme in cielo'."

"Solo che la senape non è un uccello," fece notare Alice.

"Sì, come sempre," disse la Duchessa: "Che modo semplice e chiaro hai di mettere le cose!".

"È un minerale, *credo*," disse Alice.

"Certo che è un minerale," disse la Duchessa, che sembrava voler essere d'accordo con tutto quello che Alice diceva, "qui vicino c'è una grande cava di senape. E qui la morale è... 'Più ci cavo io per me, meno ci cavi tu per te'."

"Oh, I know!" exclaimed Alice, who had not attended to this last remark, "it's a vegetable. It doesn't look like one, but it is."

"I quite agree with you," said the Duchess; "and the moral of that is—'Be what you would seem to be'—or, if you'd like it put more simply—'Never imagine yourself not to be otherwise than what it might appear to others that what you were or might have been was not otherwise than what you had been would have appeared to them to be otherwise.'"

"I think I should understand that better," Alice said very politely, "if I had it written down: but I can't quite follow it as you say it."

"That's nothing to what I could say if I chose," the Duchess replied, in a pleased tone.

"Pray don't trouble yourself to say it any longer than that," said Alice.

"Oh, don't talk about trouble!" said the Duchess. "I make you a present of everything I've said as yet."

"A cheap sort of present!" thought Alice. "I'm glad people don't give birthday presents like that!" But she did not venture to say it out loud.

"Thinking again?" the Duchess asked, with another dig of her sharp little chin.

"I've a right to think," said Alice sharply, for she was beginning to feel a little worried.

"Just about as much right," said the Duchess, "as pigs have to fly: and the m—"

But here, to Alice's great surprise, the Duchess's voice died away, even in the middle of her favourite word 'moral,' and the arm that was linked into hers began to tremble. Alice looked up, and there stood the Queen in front of them, with her arms folded, frowning like a thunderstorm.

"A fine day, your Majesty!" the Duchess began in a low, weak voice.

"Now, I give you fair warning," shouted the Queen, stamping on the ground as she spoke; "either you or

"Oh, lo so!" esclamò Alice, che non aveva preso atto di quest'ultima osservazione, "è un vegetale. All'aspetto non si direbbe, ma lo è."

"Sono assolutamente d'accordo con te," disse la Duchessa, "e qui la morale è... 'Sii quel che vuoi sembrare di essere'; oppure, se lo vuoi detto in modo più semplice... 'Mai immaginare te stessa di non essere diversa da come può sembrare agli altri che quel che tu eri o potevi essere stata non era diverso da come avresti voluto esser sembrata loro diversa'."

"Credo che questo lo capirei meglio," disse Alice molto educatamente, "se lo vedessi scritto: perché da come lei lo ha detto faccio fatica a seguirlo."

"Questo è niente rispetto a quel che potrei dire se volessi," rispose la Duchessa con aria compiaciuta.

"La prego di non disturbarsi a dirmelo più in lungo di così," disse Alice.

"Oh, non parlare di disturbo," disse la Duchessa. "Ti voglio lasciare in regalo tutto quello che ho detto finora."

"Davvero un bel regalo!" pensò Alice. "Meno male che quando uno compie gli anni non gli fanno regali di questo genere!" Ma non si arrischiò a dirlo ad alta voce.

"Stai ancora pensando?" chiese la Duchessa, con un'altra botta del suo piccolo mento appuntito.

"Pensare è mio diritto," disse Alice, con tono secco, perché stava cominciando a essere un po' preoccupata.

"Più o meno lo stesso diritto," disse la Duchessa, "che hanno i maiali di volare; e qui la m..."

Ma qui, con grande sorpresa di Alice, la voce della Duchessa si spense, proprio nel mezzo della sua prediletta parola "morale", e il braccio che la stringeva alla vita cominciò a tremare. Alice alzò lo sguardo, ed ecco lì la Regina, di fronte a loro, con le braccia conserte, accigliata come un temporale.

"Una bella giornata, vostra Maestà!" disse la Duchessa a voce debole e bassa.

"Tu!, ti avverto per il tuo bene," gridò la Regina, battendo il piede per terra, "o tu o la tua testa dovete sparire, e in

your head must be off, and that in about half no time!
Take your choice!"

The Duchess took her choice, and was gone in a
moment.

"Let's go on with the game," the Queen said to Alice;
and Alice was too much frightened to say a word, but
slowly followed her back to the croquet-ground.

The other guests had taken advantage of the
Queen's absence, and were resting in the shade:
however, the moment they saw her, they hurried back
to the game, the Queen merely remarking that a
moment's delay would cost them their lives.

All the time they were playing the Queen never left off
quarrelling with the other players, and shouting "Off
with his head!" or "Off with her head!" Those whom
she sentenced were taken into custody by the soldiers,
who of course had to leave off being arches to do this,
so that, by the end of half an hour or so, there were no
arches left, and all the players, except the King, the
Queen, and Alice, were in custody, and under sentence
of execution.

Then the Queen left off, quite out of breath, and
said to Alice, "Have you seen the Mock Turtle yet?"

"No," said Alice. "I don't even know what a Mock
Turtle is."

"It's the thing Mock Turtle Soup is made from,"
said the Queen.

"I never saw one, or heard of one," said Alice.

"Come on, then," said the Queen, "and he shall tell
you his history."

As they walked off together, Alice heard the King
say in a low voice, to the company generally, "You are
all pardoned." "Come, that's a good thing!" she said to
herself, for she had felt quite unhappy at the number
of executions the Queen had ordered.

They very soon came upon a Gryphon, lying fast
asleep in the sun. [If you don't know what a Gryphon
is, look at the picture.] "Up, lazy thing!" said the

meno della metà di neanche un attimo! Dimmi cosa preferisci!"

La Duchessa disse quel che preferiva, e un attimo dopo era già sparita.

"Andiamo avanti con la partita," disse la Regina ad Alice; e Alice, che era troppo spaventata per dire parola, la seguì lentamente fino al campo di croquet.

Gli altri ospiti avevano approfittato dell'assenza della Regina, e stavano riposando all'ombra; ma come la videro, si precipitarono a riprendere il gioco, mentre la Regina si limitava a far osservare che un solo momento di ritardo sarebbe loro costato la vita.

Per tutta la durata del gioco la Regina non tralasciò un attimo di litigare con gli altri giocatori, e di gridare: "Tagliate la testa a quello lì!" o: "Tagliate la testa a quella là!". Quelli che lei aveva condannato a morte venivano presi in custodia dai soldati, che naturalmente dovevano smettere di recitare la parte degli archetti, così che alla fine di una mezz'ora circa di archetti non ce n'erano più, e tutti i giocatori, eccetto il Re, la Regina e Alice, erano stati presi in custodia e in attesa dell'esecuzione.

Poi la Regina si ritirò dal gioco, ormai senza fiato, e disse ad Alice: "Hai già visto la Finta Tartaruga?".

"No," disse Alice. "Non so neanche che cos'è, una Finta Tartaruga."

"È la cosa con cui si fa il Brodo Finto di Tartaruga," disse la Regina.

"Mai vista né mai sentita dire," disse Alice.

"Allora, vieni," disse la Regina, "e ti racconterà la sua storia."

Mentre se ne andavano via insieme, Alice sentì il Re dire a bassa voce, a tutta la compagnia in generale: "Siete tutti perdonati". "Be', *questa è* una bella cosa!" disse dentro di sé Alice, perché si sentiva molto triste per il gran numero di decapitazioni che la Regina aveva ordinato.

Presto si imbatterono in un Grifone, che se ne stava tutto addormentato al sole. (*Se* non sapete che cos'è un Grifone, guardate l'illustrazione.) "Su, poltrone che non

Queen, "and take this young lady to see the Mock Turtle, and to hear his history. I must go back and see after some executions I have ordered;" and she walked off, leaving Alice alone with the Gryphon. Alice did not quite like the look of the creature, but on the whole she thought it would be quite as safe to stay with it as to go after that savage Queen: so she waited.

The Gryphon sat up and rubbed its eyes: then it watched the Queen till she was out of sight: then it chuckled. "What fun!" said the Gryphon, half to itself, half to Alice.

"What is the fun?" said Alice.

"Why, she," said the Gryphon. "It's all her fancy, that: they never executes nobody, you know. Come on!"

"Everybody says 'come on!' here," thought Alice, as she went slowly after it: "I never was so ordered about before, in all my life, never!"

They had not gone far before they saw the Mock Turtle in the distance, sitting sad and lonely on a little ledge of rock, and, as they came nearer, Alice could hear him sighing as if his heart would break. She pitied him deeply. "What is his sorrow?" she asked the Gryphon. And the Gryphon answered, very nearly in the same words as before, "It's all his fancy, that: he hasn't got no sorrow, you know. Come on!"

So they went up to the Mock Turtle, who looked at them with large eyes full of tears, but said nothing.

"This here young lady," said the Gryphon, "she wants for to know your history, she do."

"I'll tell it her," said the Mock Turtle in a deep, hollow tone. "Sit down, both of you, and don't speak a word till I've finished."

So they sat down, and nobody spoke for some minutes. Alice thought to herself, "I don't see how he

sei altro!" disse la Regina, "e accompagna questa signorina a vedere la Finta Tartaruga, e a sentire la sua storia. Io devo tornare indietro a occuparmi di certe condanne a morte che avevo ordinato", e se ne andò via, lasciando Alice sola con il Grifone. Ad Alice non piaceva tanto l'aspetto di quella creatura, ma tutto sommato pensò che stare con lui non era certo più pericoloso che andar dietro a quella feroce Regina: e dunque rimase lì.

Il Grifone si rizzò a sedere e si stropicciò gli occhi: poi seguì la Regina con lo sguardo fino a che questa non scomparve alla vista: poi ridacchiò. "È proprio da ridere!" disse il Grifone, per metà a se stesso, per metà ad Alice.

"Che cos'è, da ridere?"

"Ma come: la *Regina*," disse il Grifone. "Questa è tutta una sua fantasia: quelli non hanno mai tagliato la testa a nessuno, te lo dico io. Andiamo!"

"Qui tutti mi dicono 'Andiamo!'," pensò Alice, avviandosi lentamente dietro il Grifone, "non ho mai ricevuto tanti ordini in vita mia, mai!"

Non si erano allontanati di molto, che in lontananza videro la Finta Tartaruga, seduta triste e solitaria su un piccolo spuntone di roccia, e come le si furono avvicinati Alice la sentì sospirare come se il cuore le si dovesse spezzare. Ne ebbe subito una grande compassione, e: "Perché si dispera così?" chiese al Grifone; e il Grifone rispose, quasi con le stesse parole di prima: "Questa è tutta una sua fantasia; non ha niente di cui disperarsi, te lo dico io. Andiamo!".

Così raggiunsero la Finta Tartaruga, che li guardò con i grandi occhi pieni di lacrime, ma senza aprir bocca.

"Questa signorina qui," disse il Grifone, "lei è qui che c'ha voglia di sapere la tua storia, proprio."

"Gliela racconto subito," disse la Finta Tartaruga, con voce profonda e spenta: "Sedetevi tutti e due e non dite una parola finché non avrò finito".

E così si sedettero, e nessuno dei due disse niente per qualche minuto. Alice pensò dentro di sé: "Non vedo come

can ever *finish*, if he doesn't *begin*." But she waited patiently.

"Once," said the Mock Turtle at last, with a deep sigh, "I was a real Turtle."

These words were followed by a very long silence, broken only by an occasional exclamation of "Hjckrrh!" from the Gryphon, and the constant heavy sobbing of the Mock Turtle. Alice was very nearly getting up and saying, "Thank you, Sir, for your interesting story," but she could not help thinking there must be more to come, so she sat still and said nothing.

"When we were little," the Mock Turtle went on at last, more calmly, though still sobbing a little now and then, "we went to school in the sea. The master was an old Turtle—we used to call him Tortoise—"

"Why did you call him Tortoise, if he wasn't one?" Alice asked.

"We called him Tortoise because he taught us," said the Mock Turtle angrily. "Really you are very dull!"

"You ought to be ashamed of yourself for asking such a simple question," added the Gryphon; and then they both sat silent and looked at poor Alice, who felt ready to sink into the earth. At last the Gryphon said to the Mock Turtle, "Drive on, old fellow! Don't be all day about it!" and he went on in these words:—

"Yes, we went to school in the sea, though you mayn't believe it—"

"I never said I didn't!" interrupted Alice.

"You did," said the Mock Turtle.

"Hold your tongue!" added the Gryphon, before Alice could speak again. The Mock Turtle went on.

"We had the best of educations—in fact, we went to school every day—"

"I've been to a day-school, too," said Alice. "You needn't be so proud as all that."

possa *mai* finire, se prima non comincia". Ma rimase pazientemente ad aspettare.

"Una volta," disse finalmente la Finta Tartaruga, con un grande sospiro, "ero una vera Tartaruga."

A queste parole seguì un lunghissimo silenzio, interrotto soltato da un'occasionale esclamazione di "Hikrrh!" da parte del Grifone, e dal continuo pesante singhiozzare della Finta Tartaruga. Alice fu sul punto di alzarsi e di dire: "Grazie, signora, per la sua interessante storia", ma non poté fare a meno di pensare che *doveva* pur esserci qualcos'altro in arrivo, e così se ne restò seduta senza dir niente.

"Quando eravamo piccole," continuò finalmente la Finta Tartaruga, più calma, sebbene di tanto in tanto continuasse a singhiozzare un po', "andavamo a scuola in mare. Il maestro era una vecchia Tartaruga di Mare – ma noi lo chiamavamo Tartaruga di Terra."

"E perché lo chiamavate Tartaruga di Terra, se non lo era?" chiese Alice.

"Lo chiamavamo Tartaruga di Terra perché era il nostro maestro," disse con rabbia la Finta Tartaruga. "Davvero sei lenta a capire le cose!"

"Tu dovresti vergognarti a fare domande così banali," aggiunse il Grifone; e tutti e due rimasero poi seduti in silenzio fissando la povera Alice, che avrebbe voluto sprofondare sottoterra. Alla fine, il Grifone disse alla Finta Tartaruga: "Tira dritto, vecchiaccia! E vedi di non metterci tutto il giorno!", e lei proseguì con queste parole:

"Sì, andavamo a scuola in mare, anche se tu non ci credi...".

"Io non ho mai detto che non ci credo!" la interruppe Alice.

"L'hai detto sì," disse la Finta Tartaruga.

"E chiudi la bocca!" aggiunse il Grifone, prima che Alice potesse replicare. La Finta Tartaruga continuò.

"Abbiamo avuto il meglio in quanto a educazione – e in verità andavamo a scuola ogni giorno..."

"Anch'io sono andata a scuola," disse Alice, "non vedo perché se ne vanti tanto."

"With extras?" asked the Mock Turtle, a little anxiously.

"Yes," said Alice: "we learned French and music."

"And washing?" said the Mock Turtle.

"Certainly not!" said Alice indignantly.

"Ah! Then yours wasn't a really good school," said the Mock Turtle in a tone of great relief. "Now, at ours, they had, at the end of the bill, 'French, music, and washing—extra.'"

"You couldn't have wanted it much," said Alice; "living at the bottom of the sea."

"I couldn't afford to learn it," said the Mock Turtle with a sigh. "I only took the regular course."

"What was that?" enquired Alice.

"Reeling and Writhing, of course, to begin with," the Mock Turtle replied; "and then the different branches of Arithmetic—Ambition, Distraction, Uglification and Derision."

"I never heard of 'Uglification,'" Alice ventured to say. "What is it?"

The Gryphon lifted up both its paws in surprise. "Never heard of uglifying!" it exclaimed. "You know what to beautify is, I suppose?"

"Yes," said Alice doubtfully: "it means—to—make—anything—prettier."

"Well, then," the Gryphon went on, "if you don't know what to uglify is, you are a simpleton."

Alice did not feel encouraged to ask any more questions about it: so she turned to the Mock Turtle, and said, "What else had you to learn?"

"Well, there was Mystery," the Mock Turtle replied, counting off the subjects on his flappers,—"Mystery, ancient and modern, with Seaography: then Drawling—the Drawling-master was an old congereel, that used to come once a week: he taught us Drawling, Stretching, and Fainting in Coils."

"What was that like?" said Alice.

"Con materie extra?" domandò la Finta Tartaruga un po' preoccupata.

"Sì," disse Alice, "studiavamo Francese e Musica."

"E a far la lavandaia?" disse la Finta Tartaruga.

"Certo che no!" disse Alice indignata.

"Ah! Allora la tua non era proprio una buona scuola," disse la Finta Tartaruga con tono di grande soddisfazione. "Perché nella *nostra* alla fine del conto era riportato: 'Francese, Musica *e Lavanderia* – extra'."

"Non credo che vi servisse molto," disse Alice "vivendo in fondo al mare."

"Io non potevo permettermi di frequentare il corso," disse la Finta Tartaruga con un sospiro. "Ho seguito solo i corsi normali."

"E cioè?" insistette Alice.

"In primo luogo, naturalmente, Leggere e Scrivere," rispose la Finta Tartaruga, "e poi diversi settori dell'Aritmetica... Aggiunzione, Sottraniamento, Orrendire e Derisione."

"Non ho mai sentito parlare di 'Orrendire'," si arrischiò a dire Alice. "Che cos'è?"

Il Grifone alzò al cielo tutte e due le zampe, stupefatto. "Come! Mai sentito parlare di orrendire!" esclamò. "Tu lo sai cosa vuol dire abbellire, suppongo."

"Sì," disse Alice, un po' incerta, "vuol dire rendere-qualcosa-più-bello."

"Be', allora," proseguì il Grifone, "se non sai cos'è orrendire, tu *sei* una babbea."

Alice non si sentì incoraggiata a fare altre domande sull'argomento, e quindi si rivolse alla Finta Tartaruga e chiese: "Che cos'altro dovevate studiare?".

"Be', c'era Misteri," rispose la Finta Tartaruga contando le materie su una zampa, "...Misteri antichi e moderni, assieme a Mareografia: poi Cacografia... l'insegnante di Cacografia era un vecchio grongo, che di solito veniva una volta alla settimana: ci insegnava Cacografia, Ingrandimento, e Svenimento in Rotoli."

"E *questo* com'era?" disse Alice.

"Well, I can't show it you, myself," the Mock Turtle said: "I'm too stiff. And the Gryphon never learnt it."

"Hadn't time," said the Gryphon: "I went to the Classical master, though. He was an old crab, he was."

"I never went to him," the Mock Turtle said with a sigh. "He taught Laughing and Grief, they used to say."

"So he did, so he did," said the Gryphon, sighing in his turn; and both creatures hid their faces in their paws.

"And how many hours a day did you do lessons?" said Alice, in a hurry to change the subject.

"Ten hours the first day," said the Mock Turtle: "nine the next, and so on."

"What a curious plan!" exclaimed Alice.

"That's the reason they're called lessons," the Gryphon remarked: "because they lessen from day to day."

This was quite a new idea to Alice, and she thought it over a little before she made her next remark. "Then the eleventh day must have been a holiday?"

"Of course it was," said the Mock Turtle.

"And how did you manage on the twelfth?" Alice went on eagerly.

"That's enough about lessons," the Gryphon interrupted in a very decided tone. "Tell her something about the games now."

"Be', io non posso fartelo vedere," disse la Finta Tartaruga, "io sono troppo rigida. E neanche il Grifone è mai riuscito a impararlo."

"Non ne ho avuto il tempo," disse il Grifone: "Io frequentavo però il corso dei Classici. Lui era un vecchio granchio, *lui*".

"Non sono mai andata da lui," disse la Finta Tartaruga con un sospiro. "Insegnava a Ridere e a Piangere, dicevano tutti."

"Infatti, infatti," disse il Grifone, sospirando a sua volta; e tutti e due nascosero la faccia tra le zampe.

"E quante ore di frequenza avevate al giorno?" disse Alice, che aveva fretta di cambiare argomento.

"Dieci il primo giorno," disse la Finta Tartaruga, "nove il secondo, e così via."

"Che orario bizzarro!" esclamò Alice.

"È per questo che si chiamavano di frequenza," sottolineò il Grifone, "perché erano meno frequenti di giorno in giorno."

Questa era un'idea piuttosto nuova per Alice, che infatti ci pensò un po' su prima di fare un'altra osservazione. "Quindi l'undicesimo giorno dev'essere stato di vacanza."

"Certo," disse la Finta Tartaruga.

"E per il dodicesimo come facevate?" proseguì Alice incuriosita.

"Basta parlar di lezioni," la interruppe il Grifone, in tono molto deciso. "Dille piuttosto qualcosa dei giochi."

X
The Lobster Quadrille

The Mock Turtle sighed deeply, and drew the back of one flapper across his eyes. He looked at Alice and tried to speak, but, for a minute or two, sobs choked his voice. "Same as if he had a bone in his throat," *said the Gryphon; and it set to work shaking him and punching him in the back. At last the Mock Turtle recovered his voice, and, with tears running down his cheeks, he went on again:—*

"You may not have lived much under the sea—" ("*I haven't,*" *said Alice*) —"and perhaps you were never even introduced to a lobster—" (*Alice began to say* "I once tasted—" *but checked herself hastily, and said,* "No, never") "—so you can have no idea what a delightful thing a Lobster-Quadrille is!"

"No, indeed," *said Alice.* "What sort of a dance is it?"

"Why," *said the Gryphon,* "you first form into a line along the seashore—"

"Two lines!" *cried the Mock Turtle.* "Seals, turtles, salmon, and so on: then, when you've cleared all the jelly-fish out of the way—"

"That *generally takes some time,*" *interrupted the Gryphon.*

"—you advance twice—"

"Each with a lobster as a partner!" *cried the Gryphon.*

X

La Quadriglia delle Aragoste

La Finta Tartaruga fece un profondo sospiro, e si passò sugli occhi il dorso di una zampa. Guardò Alice, e cercò di parlare, ma per un paio di minuti i singhiozzi le soffocarono la voce. "Stessa roba che se avesse una spina in gola," disse il Grifone: e si diede da fare scuotendola e dandole dei pugni sulla schiena. Finalmente la Finta Tartaruga recuperò il fiato, e, con le lacrime che le scorrevano giù per le guance, riprese a dire:

"Forse non sei mai vissuta molto sott'acqua..." ("Infatti," disse Alice) "...e può darsi che tu non abbia mai conosciuto un'aragosta..." (Alice cominciò a dire: "L'ho assaggiata una volta...", ma subito si corresse, e disse: "No, mai") "...dunque non hai nessuna idea di quanto deliziosa sia una Quadriglia di Aragoste!".

"No, davvero," disse Alice. "Che tipo di ballo è?"

"Allora!" disse il Grifone, "prima di tutto ci si mette in riga lungo la spiaggia..."

"In riga per due!" gridò la Finta Tartaruga. "Foche, tartarughe, salmoni eccetera; poi, una volta eliminate tutte le meduse tra i piedi..."

"*Questo* di solito porta via un bel po' di tempo," la interruppe il Grifone.

"...si fan due passi avanti..."

"Ciascuno con la sua aragosta come dama!" gridò il Grifone.

"Of course," the Mock Turtle said: "advance twice, set to partners—"

"—change lobsters, and retire in same order," continued the Gryphon.

"Then, you know," the Mock Turtle went on, "you throw the—"

"The lobsters!" shouted the Gryphon, with a bound into the air.

"—as far out to sea as you can—"

"Swim after them!" screamed the Gryphon.

"Turn a somersault in the sea!" cried the Mock Turtle, capering wildly about.

"Change lobsters again!" yelled the Gryphon at the top of its voice.

"Back to land again, and—that's all the first figure," said the Mock Turtle, suddenly dropping his voice; and the two creatures, who had been jumping about like mad things all this time, sat down again very sadly and quietly, and looked at Alice.

"It must be a very pretty dance," said Alice timidly.

"Would you like to see a little of it?" said the Mock Turtle.

"Very much indeed," said Alice.

"Come, let's try the first figure!" said the Mock Turtle to the Gryphon. "We can do it without lobsters, you know. Which shall sing?"

"Oh, you sing," said the Gryphon. "I've forgotten the words."

So they began solemnly dancing round and round Alice, every now and then treading on her toes when they passed too close, and waving their fore-paws to mark the time, while the Mock Turtle sang this, very slowly and sadly:

"Will you walk a little faster?" said a whiting to a
[snail,
"There's a porpoise close behind us, and he's treading
[on my tail.

"Naturalmente," disse la Finta Tartaruga. "Avanti due passi, ciascuno verso la sua compagna..."

"...poi cambiare aragosta, e tornare indietro nello stesso ordine," proseguì il Grifone.

"Dopo di che, ecco," continuò la Finta Tartaruga, "si scagliano le..."

"Le aragoste!" gridò il Grifone, con un gran salto in aria.

"...in mare, il più lontano possibile..."

"Poi corrergli dietro a nuoto!" strillò il Grifone.

"Fare una capriola in acqua!" gridò la Finta Tartaruga, piroettando freneticamente tutt'intorno.

"Cambiare ancora aragosta!" urlò il Grifone con tutto il fiato che aveva.

"Tornare a riva, e... questa è tutta la prima figura," disse la Finta Tartaruga, calando improvvisamente il tono di voce; e le due bestiole, che per tutto il tempo avevano saltabeccato come matte, tornarono a sedersi con aria triste e quieta, con gli occhi rivolti ad Alice.

"Dev'essere proprio una bella danza," disse Alice timidamente.

"Vuoi che te ne facciamo vedere un po'?" disse la Finta Tartaruga.

"Mi piacerebbe molto, davvero," disse Alice.

"Su, proviamo allora la prima figura!" disse la Finta Tartaruga al Grifone. "Possiamo anche far senza le aragoste, non ti pare? Ma chi è che canta?"

"Oh, *tu* canti," disse il Grifone. "Io ho dimenticato le parole."

E così essi cominciarono a danzare tutt'intorno ad Alice, di tanto in tanto pestandole un piede quando le passavano troppo vicino, e battendo il tempo con le zampe davanti, mentre la Finta Tartaruga cantava, molto lentamente e tristemente:

"'Puoi andare un po' più in fretta?'
il merluzzo fa al serpente,
'questo polpo alle calcagna
non mi piace proprio niente.

See how eagerly the lobsters and the turtles all
[advance!
They are waiting on the shingle—will you come and
[join the dance?
Will you, won't you, will you, won't you, will you join
[the dance?
Will you, won't you, will you, won't you, won't you
[join the dance?

"You can really have no notion how delightful it will
[be
When they take us up and throw us, with the lobsters,
[out to sea!"
But the snail replied "Too far, too far!" and gave a
[look askance—
Said he thanked the whiting kindly, but he would not
[join the dance.
Would not, could not, would not, could not, would
[not join the dance.
Would not, could not, would not, could not, could not
[join the dance.

"What matters it how far we go?" his scaly friend
[replied.
"There is another shore, you know, upon the other
[side.
The further off from England the nearer is to
[France—
Then turn not pale, beloved snail, but come and join
[the dance.
Will you, won't you, will you, won't you, will you join
[the dance?
Will you, won't you, will you, won't you, won't you
[join the dance?"

"Thank you, it's a very interesting dance to watch,"
said Alice, feeling very glad that it was over at last: "and I
do so like that curious song about the whiting!"

Tartarughe e aragoste
già le vedi in lontananza,
come a dirti 'Su, anche tu
prendi parte a questa danza!'.

Vuoi, non vuoi, vuoi, non vuoi, vuoi unirti a questa danza?
Vuoi, non vuoi, vuoi, non vuoi, non vuoi unirti a questa
[danza?

Tu non sai quanto sia bello
farsi prendere e scagliare
anche tu con le aragoste
più lontano, in mezzo al mare.'

Ma il serpente gli rispose:
'Dove son mi basta e avanza.
Grazie mille ma sto bene
anche senza questa danza.

Non vorresti, non potresti, non vorresti, non potresti, non
[vorresti unirti a questa danza.
Non vorresti, non potresti, non vorresti, non potresti, non
[potresti unirti a questa danza'.

'Cosa importa dove andiamo?'
l'altro subito gli fa.
'Ogni mare c'ha due rive:
una qua, l'altra di là.

Più sei lungi d'Inghilterra
più vicino sei di Franza...
quindi su, coraggio, vieni
prendi parte a questa danza.

Vuoi, non vuoi, vuoi, non vuoi, vuoi unirti a questa danza?
Vuoi, non vuoi, vuoi, non vuoi, non vuoi unirti a questa
[danza?'".[7]

"Grazie, è una danza molto interessante da guardare,"
disse Alice, comunque molto contenta che finalmente fosse finita, "e mi piace anche tanto quella curiosa canzone sul merluzzo!"

"Oh, as to the whiting," said the Mock Turtle, "they—you've seen them, of course?"

"Yes," said Alice, "I've often seen them at dinn—" she checked herself hastily.

"I don't know where Dinn may be," said the Mock Turtle; "but, if you've seen them so often, of course you know what they're like?"

"I believe so," Alice replied thoughtfully. "They have their tails in their mouths—and they're all over crumbs."

"You're wrong about the crumbs," said the Mock Turtle: "crumbs would all wash off in the sea. But they have *their tails in their mouths; and the reason is—*" here the Mock Turtle yawned and shut his eyes. "Tell her about the reason and all that," he said to the Gryphon.

"The reason is," said the Gryphon, "that they *would* go with the lobsters to the dance. So they got thrown out to sea. So they had to fall a long way. So they got their tails fast in their mouths. So they couldn't get them out again. That's all."

"Thank you," said Alice, "it's very interesting. I never knew so much about a whiting before."

"I can tell you more than that, if you like," said the Gryphon. "Do you know why it's called a whiting?"

"I never thought about it," said Alice. "Why?"

"It does the boots and shoes," *the Gryphon replied very solemnly.*

Alice was thoroughly puzzled. "Does the boots and shoes!" she repeated in a wondering tone.

"Why, what are *your* shoes done with?" said the Gryphon. "I mean, what makes them so shiny?"

Alice looked down at them, and considered a little before she gave her answer. "They're done with blacking, I believe."

"Boots and shoes under the sea," the Gryphon went on in a deep voice, "are done with *whiting*. Now you know."

"And what are they made of?" Alice asked in a tone of great curiosity.

"Oh, a proposito di merluzzi," disse la Finta Tartaruga, "quelli... ne avrai già visti, vero?"

"Sì," disse Alice, "ne ho visti spesso a pran...", ma subito si interruppe.

"Mi chiedo dove sia questo Pran," disse la Finta Tartaruga, "ma se davvero li hai visti così spesso, saprai anche come son fatti."

"Credo di sì," rispose Alice con aria pensierosa. "Sono arrotolati come con i piedi in bocca... e tutti coperti di pane grattuggiato."

"Non c'entra il pane grattuggiato," disse la Finta Tartaruga, "l'acqua del mare lo tirerebbe via. Ma i piedi in bocca ce li hanno *davvero*; e il motivo è che...", qui la Finta Tartaruga sbadigliò e chiuse gli occhi. "Diglielo tu il motivo e tutto quanto," disse al Grifone.

"Il motivo è," disse il Grifone, "che loro vorrebbero andare con le aragoste al ballo. Così verrebbero buttati in mare. Così finirebbero lontanissimi. Così si sono messi subito i piedi in bocca. Così non sono più riusciti a tirarli fuori. Tutto qui."

"Grazie," disse Alice, "molto interessante. Finora sapevo ben poco dei merluzzi."

"Posso dirti molte altre cose, se vuoi," disse il Grifone. "Sai perché il merluzzo si chiama merluzzo?"

"Non ci ho mai pensato," disse Alice. "Perché?"

"*Perché serve per fare stivali e scarpe.*" Rispose il Grifone con grande solennità.

Alice era completamente sconcertata. "Perché serve per fare stivali e scarpe!" ripeté con tono trasognato.

"Be', con che cosa sono fatte le tue scarpe?" disse il Grifone. "Voglio dire, che cos'è che le fa così lucide?"

Alice si guardò le scarpe, e rifletté un momento prima di dare la sua risposta. "Il lucido da scarpe, credo."

"Stivali e scarpe sotto il mare," proseguì il Grifone con voce profonda, "si lucidano col merluzzo. Adesso lo sai."

"E di che cosa son fatti?" chiese Alice con tono di grande curiosità.

"Soles and eels, of course," the Gryphon replied, rather impatiently: "any shrimp could have told you that."

"If I'd been the whiting," said Alice, whose thoughts were still running on the song, "I'd have said to the porpoise, 'Keep back, please! We don't want you with us!'"

"They were obliged to have him with them," the Mock Turtle said. "No wise fish would go anywhere without a porpoise."

"Wouldn't it, really?" said Alice, in a tone of great surprise.

"Of course not," said the Mock Turtle. "Why, if a fish came to me, and told me he was going a journey, I should say 'With what porpoise?'"

"Don't you mean 'purpose'?" said Alice.

"I mean what I say," the Mock Turtle replied in an offended tone. And the Gryphon added "Come, let's hear some of your adventures."

"I could tell you my adventures—beginning from this morning," said Alice a little timidly; "but it's no use going back to yesterday, because I was a different person then."

"Explain all that," said the Mock Turtle.

"No, no! The adventures first," said the Gryphon in an impatient tone: "explanations take such a dreadful time."

So Alice began telling them her adventures from the time when she first saw the White Rabbit. She was a little nervous about it, just at first, the two creatures got so close to her, one on each side, and opened their eyes and mouths so very wide; but she gained courage as she went on. Her listeners were perfectly quiet till she got to the part about her repeating "You are old, Father William," to the Caterpillar, and the words all coming different, and then the Mock Turtle drew a long breath, and said, "That's very curious!"

"Di sogliole e anguille, naturalmente," rispose il Grifone con una certa impazienza, "qualsiasi gamberetto avrebbe potuto dirtelo."

"Se fossi stato quel merluzzo," disse Alice, i cui pensieri erano rimasti legati alla canzone, "avrei detto al polipo: 'Gira al largo, per piacere: non vogliamo un *polipo* tra di noi!'."

"Ma erano obbligati a prenderlo con loro," disse la Finta Tartaruga, "nessun pesce con un minimo di giudizio andrebbe in giro senza un polipo."

"Ma dici davvero?" disse Alice con accento di grande meraviglia.

"Ma certo che no," disse la Finta Tartaruga. "Diamine, se un pesce venisse da *me*, a dirmi che sta partendo per un viaggio, io gli direi: 'Qual merluzzolo ti spinge?'."

"Non vuoi dire 'uzzolo', per caso?" disse Alice.

"Voglio dire quel che ho detto," rispose la Finta Tartaruga un po' offesa. E il Grifone aggiunse: "Dai, sentiamo qualcuna delle *tue* avventure".

"Potrei raccontarvi le mie avventure... cominciando da questa mattina," disse Alice con tono un po' timido, "andare indietro fino a ieri non serve, perché ieri ero una persona del tutto diversa."

"Questo ce lo devi spiegare," disse la Finta Tartaruga.

"No, no! Prima le avventure," disse il Grifone con impazienza, "le spiegazioni portano via un sacco di tempo."

Così Alice cominciò a raccontare le sue avventure dal momento in cui per la prima volta aveva visto il Coniglio Bianco. Sulle prime questo la rendeva un po' nervosa, perché le due bestiole le stavano vicinissime, da una parte e dall'altra, e spalancavano *tanto* gli occhi e la bocca, ma a mano a mano che andava avanti prese coraggio. I suoi ascoltatori se ne stavano in perfetto silenzio fino a che Alice non arrivò al punto in cui aveva continuato a ripetere al Bruco "Papà Guglielmo ormai sei vecchio, tu!", con le parole che venivano fuori tutte diverse, al che la Finta Tartaruga diede un grande respiro, e disse: "Questo è strano davvero".

"It's all about as curious as it can be," said the Gryphon.

"It all came different!" the Mock Turtle repeated thoughtfully. "I should like to hear her try and repeat something now. Tell her to begin." He looked at the Gryphon as if he thought it had some kind of authority over Alice.

"Stand up and repeat 'Tis the voice of the sluggard,'" said the Gryphon.

"How the creatures order one about, and make one repeat lessons!" thought Alice. "I might just as well be at school at once." However, she got up, and began to repeat it, but her head was so full of the Lobster-Quadrille, that she hardly knew what she was saying; and the words came very queer indeed:—

"Tis the voice of the Lobster: I heard him declare
'You have baked me too brown, I must sugar my
[hair.'
As a duck with its eyelids, so he with his nose
Trims his belt and his buttons, and turns out his
[toes.
When the sands are all dry, he is gay as a lark,
And will talk in contemptuous tones of the Shark:
But, when the tide rises and sharks are around,
His voice has a timid and tremulous sound."

"That's different from what I used to say when I was a child," said the Gryphon.

"Well, I never heard it before," said the Mock Turtle; "but it sounds uncommon nonsense."

Alice said nothing: she had sat down with her face in her hands, wondering if anything would ever happen in a natural way again.

"I should like to have it explained," said the Mock Turtle.

"She can't explain it," said the Gryphon hastily. "Go on with the next verse."

"But about his toes?" the Mock Turtle persisted. "How could he turn them out with his nose, you know?"

"Direi che più strano di così non si può," disse il Grifone.

"Tutte le parole diverse!" ripeté pensierosa la Finta Tartaruga. "Mi piacerebbe sentirla riprovare a ripetere qualcosa. Dille di cominciare." E si volse a guardare il Grifone come se pensasse che egli avesse una qualche autorità su Alice.

"Alzati e ripeti 'È la voce del poltrone'," disse il Grifone.

"Guarda questi due come danno ordini, neanche uno dovesse ripetere una lezione!" pensò Alice. "Tanto varrebbe essere senz'altro a scuola." Tuttavia si alzò in piedi, e cominciò a recitare la poesia, ma la sua testa era ancora tanto occupata dalla Quadriglia delle Aragoste, che a malapena sapeva quel che stava dicendo, e le parole le uscirono davvero molto strane:...

"È la voce dell'Aragosta: l'ho sentita dichiarare:
'Mi hai cotta troppo scura, mi devo un po' imbiancare'.
Come un papero con le ciglia, così lei con il nasino
si cuce la cintura e spinge in là il piedino.
Si asciuga poi la sabbia e allora lui batte le mani
e lieto come un giglio insulta i Pescicani.
Ma con l'alta marea ritornan quelli a schiera
e a lei la voce trema in tremula maniera."[8]

"Questo è molto diverso da quello che dicevo quand'ero bambino," disse il Grifone.

"Be', io è la prima volta che lo sento," disse la Finta Tartaruga, "ma mi pare un raro esempio di insensatezza."

Alice non disse niente: era tornata a sedersi, con la faccia tra le mani, chiedendosi se niente sarebbe *mai più* successo in modo normale.

"Mi piacerebbe che me lo spiegassero," disse la Finta Tartaruga.

"Lei non può spiegartelo," disse in fretta il Grifone. "Va' avanti con la seconda strofa."

"Ma la storia dei piedi?" insistette la Finta Tartaruga. "Mi sai dire come *poteva* spingerli fuori con il naso?"

"It's the first position in dancing," Alice said; but she was dreadfully puzzled by the whole thing, and longed to change the subject.

"Go on with the next verse," the Gryphon repeated: "it begins 'I passed by his garden.'" Alice did not dare to disobey, though she felt sure it would all come wrong, and she went on in a trembling voice:—

"I passed by his garden, and marked, with one eye,
How the Owl and the Panther were sharing a pie:
The Panther took pie-crust, and gravy, and meat,
While the Owl had the dish as its share of the treat.

When the pie was all finished, the Owl, as a boon,
Was kindly permitted to pocket the spoon:
While the Panther received knife and fork with a
                                                    [growl,
And concluded the banquet by—"

"What is the use of repeating all that stuff," the Mock Turtle interrupted, "if you don't explain it as you go on? It's by far the most confusing thing I ever heard!"

"Yes, I think you'd better leave off," said the Gryphon, and Alice was only too glad to do so.

"Shall we try another figure of the Lobster-Quadrille?" the Gryphon went on. "Or would you like the Mock Turtle to sing you another song?"

"Oh, a song, please, if the Mock Turtle would be so kind," Alice replied, so eagerly that the Gryphon said, in a rather offended tone, "Hm! No accounting for tastes! Sing her 'Turtle Soup,' will you, old fellow?"

The Mock Turtle sighed deeply, and began, in a voice choked with sobs, to sing this:—

"È la prima posizione della danza," disse Alice; ma la cosa la imbarazzava terribilmente, e non vedeva l'ora di cambiare argomento.

"Va' avanti con la seconda strofa," ripeté il Grifone con impazienza, "quella che comincia con 'Ho visto il suo giardino'."

Alice non osò disobbedire, sebbene fosse sicura che le parole sarebbero state tutte sbagliate, e dunque continuò con voce tremante:

"Ho visto il suo giardino e ho subito notato
la Pantera e la Civetta dividersi un gelato –
la Pantera si sbafava la parte del biscotto,
e la Civetta invece quel che stava sotto.

Finito il gelato successe questo guaio:
la Civetta ebbe il permesso di tenersi il cucchiaio;
la forchetta fu concessa alla Pantera che però
non fu affatto contenta e molto brontolò.

E il banchetto si concluse...".

"Che senso *ha* ripetere tutta questa roba," la interruppe la Finta Tartaruga, "se non la spieghi man mano che la dici? È di gran lunga la cosa più ingarbugliata che io abbia mai sentito."

"Sì, credo che faresti meglio a piantarla lì," disse il Grifone; e Alice fu ben contenta di farlo.

"Vuoi che proviamo un'altra figura della Quadriglia delle Aragoste?" proseguì il Grifone. "O preferisci che la Finta Tartaruga ti canti una canzone?"

"Oh, una canzone, per piacere, se la Finta Tartaruga è così gentile," rispose Alice, con tanto entusiasmo che il Grifone disse, con tono piuttosto offeso: "Uhm! A proposito di buon gusto! Cantale 'Zuppa di Tartaruga' se non ti spiace, amica mia".

La Finta Tartaruga fece un profondo sospiro, poi cominciò, di tanto in tanto soffocata da singhiozzi, a cantare questa canzone:

"Beautiful Soup, so rich and green,
Waiting in a hot tureen!
Who for such dainties would not stoop?
Soup of the evening, beautiful Soup!
Soup of the evening, beautiful Soup!
Beau—ootiful Soo—oop!
Beau—ootiful Soo—oop!
Soo—oop of the e—e—evening,
Beautiful, beautiful Soup!

"Beautiful Soup! Who cares for fish,
Game, or any other dish?
Who would not give all else for two
Pennyworth only of beautiful Soup?
Pennyworth only of beautiful Soup?
Beau—ootiful Soo—oop!
Beau—ootiful Soo—oop!
Soo—oop of the e—e—evening,
Beautiful, beauti—FUL SOUP!

*"Chorus again!" cried the Gryphon, and the Mock
Turtle had just begun to repeat it, when a cry of "The
trial's beginning!" was heard in the distance.*

*"Come on!" cried the Gryphon, and, taking Alice by
the hand, it hurried off, without waiting for the end of
the song.*

*"What trial is it?" Alice panted as she ran; but the
Gryphon only answered "Come on!" and ran the faster,
while more and more faintly came, carried on the breeze
that followed them, the melancholy words:—*

"Soo—oop of the e—e—evening,
Beautiful, beautiful Soup!"

"O cara zuppa, o tu che per la cena
nella zuppiera attendi serena.
Chi può non renderti tutti gli onori?
O cara zuppa dai mille sapori.
O cara zuppa dai mille sapori.
O cara zup...pa! O cara zup...pa!
O cara zup...pa dai mille sapo...ri!
O cara zuppa dai mille sapori!

Altre delizie nessuno abbia a farne:
qui non c'importa né pesce né carne!
Costa due soldi ma frutta tesori,
o cara zuppa dai mille sapori.
O cara zuppa dai mille sapori.
O cara zup...pa! O cara zup...pa!
O cara zup...pa dai mille sapo...ri!
O cara zuppa dai mille sapori!".[9]

"Coro daccapo!" gridò il Grifone; ma la Finta Tartaruga aveva appena cominciato il bis, quando in lontananza si udì una voce gridare: "Il processo sta per cominciare!".

"Andiamo!" gridò il Grifone, e prendendo Alice per mano, corse via, senza neppure attendere la fine della canzone.

"Che processo è?" disse Alice ansimando per la corsa; ma il Grifone rispose soltanto: "Andiamo!", e corse ancora più in fretta, mentre sempre più deboli arrivavano di lontano, portate dalla brezza che le accompagnava, le malinconiche parole:

"O cara zup...pa!
O cara zuppa dai mille sapori!".

XI
Who Stole the Tarts?

The King and Queen of Hearts were seated on their throne when they arrived, with a great crowd assembled about them—all sorts of little birds and beasts, as well as the whole pack of cards: the Knave was standing before them, in chains, with a soldier on each side to guard him; and near the King was the White Rabbit, with a trumpet in one hand, and a scroll of parchment in the other. In the very middle of the court was a table, with a large dish of tarts upon it: they looked so good,. that it made Alice quite hungry to look at them—" I wish they'd get the trial done," she thought, "and hand round the refreshments!" But there seemed to be no chance of this; so she began looking at everything about her to pass away the time.

Alice had never been in a court of justice before, but she had read about them in books, and she was quite pleased to find that she knew the name of nearly everything there. "That's the judge," she said to herself, "because of his great wig."

The judge, by the way, was the King; and, as he wore his crown over the wig [look at the frontispiece if you want to see how he did it], he did not look at all comfortable, and it was certainly not becoming.

"And that's the jury-box," thought Alice; "and those twelve creatures," (she was obliged to say "creatures," you see, because some of them were animals, and some were

XI

Chi ha rubato le crostate?

Quando arrivarono lì, il Re e la Regina di Cuori erano seduti sul loro trono, attorniati da una grande folla – uccellini e bestie d'ogni genere, così come tutto il mazzo di carte. Il Fante era in piedi davanti a loro, in catene, con un soldato per parte a sorvegliarlo; e accanto al Re c'era il Coniglio Bianco, con una tromba in mano, e un rotolo di pergamena nell'altra. Proprio al centro della corte c'era una tavola, con sopra un grande vassoio con delle crostate; avevano un aspetto così buono, che Alice ebbe subito fame, solo a guardarle... "Speriamo che facciano in fretta con il processo," pensò, "e che si passi subito al rinfresco!" Ma non sembrava che ci fossero grandi speranze in materia, così cominciò a curiosare tutto attorno, tanto per passare il tempo.

Alice non era mai stata in un'aula di tribunale prima di allora, ma ne aveva letto in vari libri, e fu molto soddisfatta nello scoprire che conosceva il nome di quasi tutto quel che c'era lì. "Quello è il giudice," si disse, "con quella sua grande parrucca."

Il giudice, a proposito, era il Re; e siccome portava la corona sopra la parrucca (date un'occhiata al frontespizio se volete sapere come aveva fatto) non pareva essere assolutamente a suo agio, e del resto non gli stava affatto bene.

"E quello è il banco della giuria," pensò Alice, "e quei dodici esseri" (doveva dire "esseri" per forza, capite?, perché alcuni di loro erano animali, altri erano uccelli) "im-

birds), "I suppose they are the jurors." She said this last word two or three times over to herself, being rather proud of it: for she thought, and rightly too, that very few little girls of her age knew the meaning of it at all. However, "jurymen" would have done just as well.

The twelve jurors were all writing very busily on slates. "What are they doing?" Alice whispered to the Gryphon. "They can't have anything to put down yet, before the trial's begun."

"They're putting down their names," the Gryphon whispered in reply, "for fear they should forget them before the end of the trial."

"Stupid things!" Alice began in a loud indignant voice; but she stopped herself hastily, for the White Rabbit cried out, "Silence in the court!" and the King put on his spectacles and looked anxiously round, to make out who was talking.

Alice could see, as well as if she were looking over their shoulders, that all the jurors were writing down "Stupid things!" on their slates, and she could even make out that one of them didn't know how to spell "stupid," and that he had to ask his neighbour to tell him. "A nice muddle their slates'll be in, before the trial's over!" thought Alice.

One of the jurors had a pencil that squeaked. This, of course, Alice could not stand, and she went round the court and got behind him, and very soon found an opportunity of taking it away. She did it so quickly that the poor little juror (it was Bill, the Lizard) could not make out at all what had become of it; so, after hunting all about for it, he was obliged to write with one finger for the rest of the day; and this was of very little use, as it left no mark on the slate.

"Herald, read the accusation!" said the King.

On this the White Rabbit blew three blasts on the trumpet, and then unrolled the parchment-scroll, and read as follows:—

magino siano i giurati." Ripeté quest'ultima parola due o tre volte, sempre tra sé e sé, sentendosene piuttosto orgogliosa; perché pensava, molto giustamente, che ben poche bambine della sua età sapevano quel che voleva dire. Comunque, anche "membri della giuria" sarebbe andato altrettanto bene.

I dodici giurati erano tutti molto occupati a scrivere su delle lavagnette. "Che cosa stanno facendo?" sussurrò Alice al Grifone. "Non possono aver già bisogno di prendere appunti, quando il processo non è ancora cominciato."

"Stanno scrivendo i loro nomi," sussurrò per tutta risposta il Grifone, "per paura di dimenticarsene prima della fine del processo."

"Quante stupidaggini!" Alice cominciò a dire ad alta voce, tutta indignata, ma si fermò di colpo, perché il Coniglio Bianco gridò: "Silenzio in aula!", e il Re si mise gli occhiali e si guardò intorno con aria preoccupata, per capire chi è che stava parlando.

Alice riuscì a vedere, neanche fosse riuscita a spiare sopra le loro spalle, che tutti i giurati stavano scrivendo "Quante stupidaggini!" sulle loro lavagne, e poté anche accorgersi che uno di loro non sapeva come si scrivesse "stupidaggini" e che aveva dovuto chiederlo al suo vicino. "Un bel pasticcio saranno quelle lavagne, ora della fine del processo!" pensò Alice.

Uno dei giurati aveva un gessetto che faceva squeek sulla lavagna. Questo, naturalmente, Alice non poteva sopportarlo; per cui girò attorno all'aula, si mise dietro di lui, e ben presto trovò l'occasione di portarglielo via. E lo fece così rapidamente che il povero piccolo giurato (si trattava di Bill, la Lucertola) non riuscì a capacitarsi di che cosa gli fosse successo; e dopo essersene messo in caccia tutt'intorno, fu costretto a scrivere con un dito per tutta la giornata; cosa che serviva a ben poco, dato che sulla lavagna non restava alcun segno.

"Araldo, leggi l'accusa!" disse il Re.

Al che il Coniglio Bianco diede tre squilli di tromba, e poi srotolò il rotolo di pergamena, e lesse quanto segue:

"The Queen of Hearts, she made some tarts,
  All on a summer day:
  The Knave of Hearts, he stole those tarts
  And took them quite away!"

"Consider your verdict," the King said to the jury.

"Not yet, not yet!" the Rabbit hastily interrupted. *"There's a great deal to come before that!"*

"Call the first witness," said the King; and the White Rabbit blew three blasts on the trumpet, and called out *"First witness!"*

The first witness was the Hatter. He came in with a teacup in one hand and a piece of bread-and-butter in the other. *"I beg pardon, your Majesty,"* he began, *"for bringing these in; but I hadn't quite finished my tea when I was sent for."*

"You ought to have finished," said the King. *"When did you begin?"*

The Hatter looked at the March Hare, who had followed him into the court, arm-in-arm with the Dormouse. *"Fourteenth of March, I* think *it was,"* he said.

"Fifteenth," said the March Hare.

"Sixteenth," said the Dormouse.

"Write that down," the King said to the jury; and the jury eagerly wrote down all three dates on their slates, and then added them up, and reduced the answer to shillings and pence.

"Take off your hat," the King said to the Hatter.

"It isn't mine," said the Hatter.

"Stolen!" the King exclaimed, turning to the jury, who instantly made a memorandum of the fact.

"I keep them to sell," the Hatter added as an explanation: *"I've none of my own. I'm a hatter."*

Here the Queen put on her spectacles, and began staring hard at the Hatter, who turned pale and fidgeted.

*"La Regina di Cuori ha fatto le crostate
nel sole di un giorno d'estate
ma il Fante di Cuori oplà le ha rubate
tutte quante quelle buone crostate".*[10]

"Pronunciate la sentenza," disse il Re alla giuria.

"Non ancora, non ancora!" intervenne di fretta il Coniglio. "Prima della sentenza ci sono un sacco di cose da fare!"

"Chiamate il primo testimone," disse il Re; e il Coniglio Bianco diede altri tre squilli di tromba, e gridò: "Il primo testimone!".

Il primo testimone era il Cappellaio. Si fece avanti con una tazza di the in una mano e una tartina di pane-e-burro nell'altra. "Chiedo perdono a vostra Maestà," esordì, "se mi presento con queste cose in mano: ma quando sono venuti a chiamarmi non avevo ancora finito il mio the."

"Avreste dovuto averlo ormai finito," disse il Re. "Quand'è che avete cominciato?"

Il Cappellaio diede un'occhiata alla Lepre Marzolina, che lo aveva seguito fino all'aula, a braccetto del Ghiro. "Il quattordici marzo, credo che fosse," disse.

"Il quindici," disse la Lepre Marzolina.

"Il sedici," corresse il Ghiro.

"Prendete nota," disse il Re alla giuria, e la giuria scrisse accuratamente tutte e tre le date, ciascuno sulla propria lavagna, e poi ne fece la somma, calcolando il tutto in sterline e scellini.

"Tiratevi via il cappello," disse il Re al Cappellaio.

"Non è mio," disse il Cappellaio.

"Rubato!" esclamò il Re, rivolgendosi alla giuria, che immediatamente prese debita nota del fatto.

"Io tengo i cappelli per venderli," aggiunse il Cappellaio per tutta spiegazione. "Non ne ho neanche uno di mio. Io faccio il cappellaio."

Qui la Regina inforcò gli occhiali, e si diede a scrutare il Cappellaio, che si fece pallido e prese ad agitarsi.

"Give your evidence," said the King; "and don't be nervous, or I'll have you executed on the spot."

This did not seem to encourage the witness at all: he kept shifting from one foot to the other, looking uneasily at the Queen, and in his confusion he bit a large piece out of his teacup instead of the bread-and-butter.

Just at this moment Alice felt a very curious sensation, which puzzled her a good deal until she made out what it was:

*

* *

* * *

she was beginning to grow larger again, and she thought at first she would get up and leave the court; but on second thoughts she decided to remain where she was as long as there was room for her.

"I wish you wouldn't squeeze so," said the Dormouse, who was sitting next to her. "I can hardly breathe."

"I can't help it," said Alice very meekly: "I'm growing."

"You've no right to grow here," said the Dormouse.

"Don't talk nonsense," said Alice more boldly: "you know you're growing too."

"Yes, but I grow at a reasonable pace," said the Dormouse: "not in that ridiculous fashion." And he got up very sulkily and crossed over to the other side of the court.

All this time the Queen had never left off staring at the Hatter, and, just as the Dormouse crossed the court, she said, to one of the officers of the court, "Bring me the list of the singers in the last concert!" on which the wretched Hatter trembled so, that he shook off both his shoes.

"Give your evidence," the King repeated angrily, "or I'll have you executed, whether you are nervous or not."

"I'm a poor man, your Majesty," the Hatter began, in

"Date la vostra testimonianza," disse il Re, "e non siate così nervoso, altrimenti vi faccio tagliare la testa qui seduta stante."

Questo non sembrò affatto incoraggiare il testimone, che continuò a ballonzolare da un piede all'altro, guardando a disagio la Regina, in tale confusione che con un morso staccò un grosso pezzo della tazza di the invece che del pane-e-burro.

Proprio in quel momento Alice ebbe una strana sensazione, che la lasciò perplessa per un bel po' fino a che non si rese conto di che cosa davvero si trattasse:

*

* *

* * *

stava cominciando a diventare di nuovo grande, e in un primo tempo pensò che fosse meglio alzarsi e lasciare l'aula del tribunale; ma ripensandoci, decise di rimanere lì dov'era almeno finché c'era spazio per lei.

"Ti spiacerebbe fare a meno di schiacciarmi così?" disse il Ghiro che era seduto accanto a lei. "Non riesco neanche a respirare."

"Non posso farci niente," disse Alice con tono molto mite: "Sto diventando grande".

"Non hai nessun diritto di diventar grande qui," disse il Ghiro.

"Non dica sciocchezze," disse Alice con più coraggio, "lo sa, che sta crescendo anche lei."

"Sì, ma io cresco a un ritmo ragionevole," disse il Ghiro, "non con quel tuo modo ridicolo!" E tutto imbronciato si alzò e traversò l'aula fino al lato opposto.

Per tutto questo tempo la Regina non aveva mai smesso di squadrare il Cappellaio, e proprio mentre il Ghiro stava attraversando l'aula, disse a uno degli ufficiali della corte: "Portatemi l'elenco dei cantanti dell'ultimo concerto!", al che lo sventurato Cappellaio si mise a tremare così tanto che scalciò via le scarpe che aveva ai piedi.

"Date la vostra testimonianza," ripeté il Re con rabbia, "o vi farò tagliare la testa, che siate o non siate nervoso."

"Io sono un pover'uomo, vostra Maestà," cominciò il

a trembling voice, "and I hadn't begun my tea—not above a week or so—and what with the bread-and-butter getting so thin—and the twinkling of the tea—"

"The twinkling of what?" said the King.

"It began with the tea," the Hatter replied.

"Of course twinkling begins with a T!" said the King sharply. "Do you take me for a dunce? Go on!"

"I'm a poor man," the Hatter went on, "and most things twinkled after that—only the March Hare said—"

"I didn't!" the March Hare interrupted in a great hurry.

"You did!" said the Hatter.

"I deny it!" said the March Hare.

"He denies it," said the King: "leave out that part."

"Well, at any rate, the Dormouse said—" the Hatter went on, looking anxiously round to see if he would deny it too; but the Dormouse denied nothing, being fast asleep.

"After that," continued the Hatter, "I cut some more bread-and-butter—"

"But what did the Dormouse say?" one of the jury asked.

"That I can't remember," said the Hatter.

"You must remember," remarked the King, "or I'll have you executed."

The miserable Hatter dropped his teacup and bread-and-butter, and went down on one knee. "I'm a poor man, your Majesty," he began.

"You're a very poor speaker," said the King.

Here one of the guinea-pigs cheered, and was immediately suppressed by the officers of the court. (As that is rather a hard word, I will just explain to you how it was done. They had a large canvas bag, which tied up at the mouth with strings: into this they slipped the guinea-pig, head first, and then sat upon it.)

Cappellaio, con voce tremante, "...e non avevo neanche cominciato con il the... non da circa una settimana... e con il fatto che la tartina di pane-e-burro era così sottile... e con il riflesso di the..."

"Il riflesso di me?!" disse il Re.

"Di the! Un the riflette the," rispose il Cappellaio.

"Questo lo so anch'io!" disse il Re seccamente. "Mi prendete per un somaro? Andate avanti!"

"Sono un pover'uomo," proseguì il Cappellaio, "quasi tutto si è messo a riflettere dopo questo... solo la Lepre Marzolina ha detto..."

"Non ho detto niente!" lo interruppe in tutta fretta la Lepre Marzolina.

"E invece sì!" disse il Cappellaio.

"Lo nego!" disse la Lepre Marzolina.

"Lei lo nega," disse il Re, "lasciate perdere questo dettaglio."

"Be', a ogni buon conto il Ghiro ha detto..." proseguì il Cappellaio guardandosi attorno con aria preoccupata, per vedere se anche lui avrebbe negato tutto: ma il Ghiro, profondamente addormentato, non negò niente di niente.

"Dopodiché," continuò il Cappellaio, "ho preparato dell'altro pane-e-burro..."

"Ma che cosa ha detto il Ghiro?" chiese uno della giuria.

"Questo non me lo ricordo," disse il Cappellaio.

"*Dovete* ricordarvelo," insistette il Re, "altrimenti vi faccio tagliare la testa."

L'infelice Cappellaio lasciò cadere la tazza di the e il pane-e-burro, e si gettò in ginocchio. "Io sono un pover'uomo, vostra Maestà," cominciò a dire.

"Voi siete un povero, miserrimo oratore," disse il Re.

Qui uno dei porcellini d'India applaudì, ma l'applauso fu subito stroncato dagli ufficiali del tribunale. (Dato che "stroncato" è parola un po' forte, vi spiegherò in che cosa consisteva il fatto. Gli ufficiali avevano un grande sacco di canapa, che si chiudeva in cima con delle stringhe: e qui infilarono il porcellino d'India, a testa in giù, e poi vi si sedettero sopra.)

"I'm glad I've seen that done," thought Alice. "I've so often read in the newspapers, at the end of trials, 'There was some attempt at applause, which was immediately suppressed by the officers of the court,' and I never understood what it meant till now."

"If that's all you know about it, you may stand down," continued the King.

"I can't go no lower," said the Hatter: "I'm on the floor, as it is."

"Then you may sit down," the King replied.

Here the other guinea-pig cheered, and was suppressed.

"Come, that finishes the guinea-pigs!" thought Alice. "Now we shall get on better."

"I'd rather finish my tea," said the Hatter, with an anxious look at the Queen, who was reading the list of singers.

"You may go," said the King, and the Hatter hurriedly left the court, without even waiting to put his shoes on.

"—and just take his head off outside," the Queen added to one of the officers; but the Hatter was out of sight before the officer could get to the door.

"Call the next witness!" said the King.

The next witness was the Duchess's cook. She carried the pepper-box in her hand, and Alice guessed who it was, even before she got into the court, by the way the people near the door began sneezing all at once.

"Give your evidence," said the King.

"Shan't," said the cook.

The King looked anxiously at the White Rabbit, who said, in a low voice, "Your Majesty must cross-examine this witness."

"Well, if I must, I must," the King said with a melancholy air, and, after folding his arms and frowning at the cook till his eyes were nearly out of sight, he said, in a deep voice, "What are tarts made of?"

"Sono contenta di aver visto quel che è successo," pensò Alice. "Ho letto tante di quelle volte sui giornali, alla fine dei processi: 'È seguito un tentativo di applauso, subito stroncato dagli ufficiali del tribunale', e solo ora capisco finalmente che cosa vuol dire."

"Se questo è tutto quel che sapete a questo proposito, potete alzarvi a terra," proseguì il Re.

"Più a terra di così non posso," disse il Cappellaio, "sono arrivato al pavimento."

"E allora potete *sedervi*," replicò il Re.

Qui anche l'altro porcellino d'India applaudì, e anche lui fu "stroncato".

"Be', di porcellini d'India non ce ne sono più!" pensò Alice. "Adesso potremo andare avanti meglio."

"Preferirei finire il mio the," disse il Cappellaio, con uno sguardo preoccupato alla Regina, che stava leggendo l'elenco dei cantanti.

"Potete andare," disse il Re, e il Cappellaio corse via in tutta fretta, senza neppure il tempo di infilarsi le scarpe.

"...Basta che come esce gli sia tagliata la testa," aggiunse la Regina a uno degli ufficiali: ma il Cappellaio si dileguò prima che l'ufficiale potesse raggiungere la porta.

"Chiamate il testimone successivo!" disse il Re.

Il testimone successivo era la cuoca della Duchessa. Aveva in mano il barattolino del pepe, e Alice capì di chi si trattava ancor prima che quella entrasse nell'aula, perché tutta la gente vicino alla porta aveva subito cominciato a starnutire.

"Date la vostra testimonianza," disse il Re.

"Col cavolo!" disse la cuoca.

Il Re rivolse uno sguardo preoccupato al Coniglio Bianco, che a bassa voce disse: "Vostra Maestà, con *questa* teste deve procedere a un contro-interrogatorio".

"Be', se devo farlo, devo farlo," disse il Re con espressione malinconica, e, incrociate le braccia e rivolto alla cuoca – che aveva le sopracciglia tanto aggrottate che quasi non si vedevano più neanche gli occhi –, disse, con voce profonda: "Di che cosa è fatta una crostata?".

"Pepper, mostly," said the cook.

"Treacle," said a sleepy voice behind her.

"Collar that Dormouse!" the Queen shrieked out. "Behead that Dormouse! Turn that Dormouse out of court! Suppress him! Pinch him! Off with his whiskers!"

For some minutes the whole court was in confusion, getting the Dormouse turned out, and, by the time they had settled down again, the cook had disappeared.

"Never mind!" said the King, with an air of great relief. "Call the next witness." And, he added, in an under-tone to the Queen, "Really, my dear, you must cross-examine the next witness. It quite makes my forehead ache!"

Alice watched the White Rabbit as he fumbled over the list, feeling very curious to see what the next witness would be like, "—for they haven't got much evidence yet," she said to herself. Imagine her surprise, when the White Rabbit read out, at the top of his shrill little voice, the name "Alice!"

"Di pepe, soprattutto," disse la cuoca.

"Di melassa," disse una voce assonnata dietro di lei.

"Acciuffate quel Ghiro," strillò la Regina. "Tagliate la testa a quel Ghiro! Sbattete fuori quel Ghiro dall'aula! Eliminatelo! Torturatelo! Radetegli i baffi!"

Per qualche minuto l'intera aula fu in confusione, impegnata a espellere il Ghiro; ma prima che tutti si fossero risistemati, la cuoca era sparita.

"Non importa!" disse il Re, con aria di grande sollievo. "Chiamate il testimone successivo." E abbassando la voce aggiunse, alla Regina: "Davvero, mia cara, il prossimo testimone dovrete contro-interrogarlo voi. È una cosa che mi fa venire male agli occhi!".

Alice si mise a osservare il Coniglio Bianco che stava frugando nella lista, molto curiosa di sapere quale sarebbe stato il testimone successivo, "...Perché *al momento* non hanno raccolto molte prove," disse tra sé. Immaginate dunque la sua sorpresa quando il Coniglio Bianco, con la sua vocina stridula, lesse il nome: "Alice!".

XII
Alice's Evidence

"*Here!*" *cried Alice, quite forgetting in the flurry of the moment how large she had grown in the last few minutes, and she jumped up in such a hurry that she tipped over the jury-box with the edge of her skirt, upsetting all the jurymen on to the heads of the crowd below, and there they lay sprawling about, reminding her very much of a globe of gold-fish she had accidentally upset the week before.*

"*Oh, I beg your pardon!*" *she exclaimed in a tone of great dismay, and began picking them up again as quickly as she could, for the accident of the gold-fish kept running in her head, and she had a vague sort of idea that they must be collected at once and put back into the jury-box, or they would die.*

"*The trial cannot proceed,*" *said the King, in a very grave voice, "until all the jurymen are back in their proper places—all,*" *he repeated with great emphasis, looking hard at Alice as he said so.*

Alice looked at the jury-box, and saw that, in her haste, she had put the Lizard in head downwards, and the poor little thing was waving its tail about in a melancholy way, being quite unable to move. She soon got it out again, and put it right; "not that it signifies much," *she said to herself; "I should think it would be quite as much use in the trial one way up as the other.*"

As soon as the jury had a little recovered from the

XII

La testimonianza di Alice

"Presente!" gridò Alice, dimenticandosi del tutto, nell'agitazione del momento, di quanto era cresciuta in quegli ultimi pochi minuti, e balzò in piedi con tanta furia che con l'orlo della gonna travolse il banco della giuria, così che tutti i giurati finirono sopra la folla radunata di sotto, dove rimasero ad agitarsi in tutti i sensi, facendole subito venire in mente il vaso con un pesce rosso che le era capitato di rovesciare la settimana prima.

"Oh, vi chiedo *scusa!*" esclamò con tono di grande costernazione, e si diede subito a raccattarli più in fretta che poté, perché l'incidente del pesce rosso le si era ficcato in testa, e lei aveva una certa vaga impressione che bisognasse raccogliere i giurati e rimetterli subito nel banco della giuria, altrimenti sarebbero morti.

"Il processo non può andare avanti," disse il Re con voce molto solenne, "fino a che tutti i giurati non siano tornati ai loro posti... *tutti,*" ripeté con grande enfasi; e intanto fissava Alice con aria severa.

Alice si volse a guardare il banco della giuria, e vide che nella fretta aveva messo la Lucertola a testa in giù, e la poveretta stava sventolando la coda con espressione malinconica, del tutto incapace a muoversi. Lei subito la tirò fuori e la mise a posto; "Non che voglia dir molto," disse a se stessa, "direi che in un modo o nell'altro, per quel che riguarda il processo, sia *del tutto* la stessa cosa".

Non appena la giuria si fu un po' ripresa dallo choc

shock of being upset, and their slates and pencils had been found and handed back to them, they set to work very diligently to write out a history of the accident, all except the Lizard, who seemed too much overcome to do anything but sit with its mouth open, gazing up into the roof of the court.

"What do you know about this business?" the King said to Alice.

"Nothing," said Alice.

"Nothing whatever?" persisted the King.

"Nothing whatever," said Alice.

"That's very important," the King said, turning to the jury. They were just beginning to write this down on their slates, when the White Rabbit interrupted: "Unimportant, your Majesty means of course," he said, in a very respectful tone, but frowning and making faces at him as he spoke.

"Unimportant, of course, I meant," the King hastily said, and went on to himself in an undertone, "important—unimportant—unimportant—important—" as if he were trying which word sounded best.

Some of the jury wrote it down "important," and some "unimportant." Alice could see this, as she was near enough to look over their slates; "but it doesn't matter a bit," she thought to herself.

At this moment the King, who had been for some time busily writing in his note-book, called out "Silence!" and read out from his book, "Rule Forty-two. All persons more than a mile high to leave the court."

Everybody looked at Alice.

"I'm not a mile high," said Alice.

"You are," said the King.

"Nearly two miles high," added the Queen.

"Well, I shan't go, at any rate," said Alice; "besides, that's not a regular rule: you invented it just now."

"It's the oldest rule in the book," said the King.

dell'incidente, e a ognuno furono ridati in mano le lavagnette e i gessetti, i giurati tutti si dedicarono molto diligentemente a scrivere quel che gli era successo, tutti a eccezione della Lucertola, che sembrava davvero troppo sconvolta per far qualcosa di più che non restar lì seduta con la bocca aperta, a guardare il soffitto dell'aula.

"Che cosa sai tu di tutta questa storia?" disse il Re ad Alice.

"Niente," disse Alice.

"Niente di *niente*?" insistette il Re.

"Niente di niente," disse Alice.

"Questo è molto importante," disse il Re, rivolgendosi alla giuria. E i giurati stavano proprio cominciando a registrare queste parole sulle loro lavagnette, quando il Coniglio Bianco intervenne: "*Non è* molto importante, vorrà dire senz'altro vostra Maestà," disse con tono molto rispettoso, ma non senza aggrottare le sopracciglia e fare varie smorfie.

"*Non è* importante, certo, volevo dire," disse in fretta il Re, e poi proseguì, tra sé, a bassa voce: "È importante – non è importante – non è importante – è importante...", come se stesse provando quale versione suonasse meglio.

Qualcuno dei giurati scrisse: "È importante", altri: "Non è importante". Alice vide tutto, perché era abbastanza vicina per poter guardare le loro lavagnette; "Ma non ha nessuna importanza," pensò dentro di sé.

In quel momento il Re, che per qualche tempo era stato occupato a scrivere sul suo taccuino, gracchiò un "Silenzio!" e dal suo libro lesse: "Legge Numero Quarantadue. *'Chiunque sia più alto di un miglio deve uscire dall'aula'*".

Tutti guardarono Alice.

"Io *non sono* alta più di un miglio," disse Alice.

"E invece sì," disse il Re.

"Quasi due miglia," aggiunse la Regina.

"Be', io comunque non me ne vado," disse Alice, "oltre tutto non c'è nessuna legge del genere: lei se l'è inventata in questo momento."

"È la legge più antica scritta nel libro," disse il Re.

"Then it ought to be Number One," said Alice.

The King turned pale, and shut his note-book hastily. "Consider your verdict," he said to the jury, in a low trembling voice.

"There's more evidence to come yet, please your Majesty," said the White Rabbit, jumping up in a great hurry: "this paper has just been picked up."

"What's in it?" said the Queen.

"I haven't opened it yet," said the White Rabbit; "but it seems to be a letter, written by the prisoner to—to somebody."

"It must have been that," said the King, "unless it was written to nobody, which isn't usual, you know."

"Who is it directed to?" said one of the jurymen.

"It isn't directed at all," said the White Rabbit: "in fact, there's nothing written on the outside." He unfolded the paper as he spoke, and added, "It isn't a letter, after all: it's a set of verses."

"Are they in the prisoner's handwriting?" asked another of the jurymen.

"No, they're not," said the White Rabbit, "and that's the queerest thing about it." (The jury all looked puzzled.)

"He must have imitated somebody else's hand," said the King. (The jury all brightened up again.)

"Please, your Majesty," said the Knave, "I didn't write it, and they can't prove that I did: there's no name signed at the end."

"If you didn't sign it," said the King, "that only makes the matter worse. You must have meant some mischief, or else you'd have signed your name like an honest man."

There was a general clapping of hands at this: it was the first really clever thing the King had said that day.

"That proves his guilt, of course," said the Queen: "so, off with—."

"It doesn't prove anything of the sort!" said Alice. "Why, you don't even know what they're about!"

"Allora dovrebbe essere la Numero Uno," disse Alice.

Il Re si fece pallido, e nervosamente chiuse il libro. "Pronunciate il vostro verdetto," disse alla giuria, a voce bassa e tremula.

"Vi sono altre testimonianze da produrre, col permesso di vostra Maestà," disse il Coniglio Bianco balzando in piedi di gran fretta: "Questo foglio è stato trovato poco fa".

"Che cosa c'è scritto?" chiese la Regina.

"Non l'ho ancora aperto," disse il Coniglio Bianco, "ma sembrerebbe scritto dal prigioniero a... a qualcuno."

"Dev'essere stato proprio così," disse il Re, "a meno che non sia stato scritto a nessuno, che direi esser cosa piuttosto infrequente, non vi pare?"

"A chi è indirizzato?" disse uno dei giurati.

"Non è indirizzato a nessuno," disse il Coniglio Bianco; "in verità, *fuori* non c'è scritto niente." Così dicendo aveva spiegato il foglio, e aggiunse: "Non è una lettera, dopotutto; sono dei versi".

"La calligrafia è quella del prigioniero?" chiese un altro dei giurati.

"No, non è la sua," disse il Coniglio Bianco, "e questa è la cosa più strana di tutte." (La giuria tutta sembrava perplessa.)

"Deve avere imitato la calligrafia di qualcun altro," disse il Re. (La giuria tutta sembrò rianimarsi.)

"Col permesso di vostra Maestà," disse il Fante, "non l'ho scritta io, e nessuno può provare il contrario: non è firmata con nessun nome."

"Se non l'avete firmata voi," disse il Re, "questo non fa che peggiorare la cosa. Dovevate *certo* mirare a un qualche imbroglio, altrimenti avreste firmato col vostro nome come qualsiasi persona perbene."

A questo tutti i presenti batterono le mani: era la prima cosa davvero intelligente che il Re diceva quel giorno.

"Questo *prova* che è colpevole, naturalmente," disse la Regina: "e dunque, tagliat...".

"Non prova niente del genere!" disse Alice. "Ma come!, se non sapete neanche che cosa c'è scritto!"

"Read them," said the King.

The White Rabbit put on his spectacles. "Where shall I begin, please your Majesty?" he asked.

"Begin at the beginning," the King said, very gravely, "and go on till you come to the end: then stop."

There was dead silence in the court, whilst the White Rabbit read out these verses:—

"They told me you had been to her,
And mentioned me to him:
She gave me a good character,
But said I could not swim.

He sent them word I had not gone
(We know it to be true):
If she should push the matter on,
What would become of you?

I gave her one, they gave him two,
You gave us three or more;
They all returned from him to you,
Though they were mine before.

If I or she should chance to be
Involved in this affair,
He trusts to you to set them free,
Exactly as we were.

My notion was that you had been
(Before she had this fit)
An obstacle that came between
Him, and ourselves, and it.

Don't let him know she liked them best,
For this must ever be
A secret, kept from all the rest,
Between yourself and me."

"That's the most important piece of evidence we've heard yet," said the King, rubbing his hands; "so now let the jury—"

"Leggetelo," disse il Re.

Il Coniglio Bianco si mise gli occhiali. "Da dove devo iniziare, col permesso di vostra Maestà?" chiese.

"Iniziate dall'inizio," disse il Re con tono solenne, "e andate avanti fino alla fine; e lì fermatevi."

Si fece un silenzio mortale nell'aula, mentre il Coniglio Bianco prese a leggere questi versi:

> *"M'han detto che tu sei andato da lei*
> *e che con lui sei stato a parlare;*
> *e che poi parlando dei fatti miei*
> *avete detto che non so nuotare.*
>
> *Ha detto lui che non sarei andata;*
> *e – sappiam tutti – che così infatti è stato;*
> *ma se lei poi non si fosse fermata*
> *cosa mai tu saresti diventato?*
>
> *Uno l'ho dato a lei, c'è chi ne ha dati due,*
> *tu invece a tutti noi ne hai dati tre;*
> *anche se prima eran trentadue,*
> *da lui son tutti ritornati a te.*
>
> *Se solo si potesse, lei e io*
> *venire interessati a questo affare,*
> *tu, onde dirgli arrivederci o addio,*
> *ben li avresti potuti liberare.*
>
> *La mia impressione è che il tuo destino*
> *(prima dell'attacco che l'ha colta)*
> *ti ponga come ostacolo al cammino*
> *di lei o lui che viene alla mia volta.*
>
> *Non farglielo sapere che a lei piace*
> *perché questo – che niuno sa cos'è –*
> *resti segreto sia in guerra che in pace*
> *riservato per sempre a te e a me".*[11]

"Questa è la testimonianza più importante che abbiamo sentito finora," disse il Re, fregandosi le mani, "quindi adesso la giuria..."

"If any one of them can explain it," said Alice, (she had grown so large in the last few minutes that she wasn't a bit afraid of interrupting him), "I'll give him sixpence. I don't believe there's an atom of meaning in it."

The jury all wrote down on their slates, "She doesn't believe there's an atom of meaning in it," but none of them attempted to explain the paper.

"If there's no meaning in it," said the King, "that saves a world of trouble, you know, as we needn't try to find any. And yet I don't know," he went on, spreading out the verses on his knee, and looking at them with one eye; "I seem to see some meaning in them, after all. '—said I could not swim—' you can't swim, can you?" he added, turning to the Knave.

The Knave shook his head sadly. "Do I look like it?" he said. (Which he certainly did not, being made entirely of cardboard.)

"All right, so far," said the King; and he went on muttering over the verses to himself: "'We know it to be true—' that's the jury, of course—'If she should push the matter on'—that must be the Queen—'What would become of you?'—What, indeed!—'I gave her one, they gave him two—' why, that must be what he did with the tarts, you know—"

"But it goes on 'they all returned from him to you,'" said Alice.

"Why, there they are!" said the King triumphantly, pointing to the tarts on the table. "Nothing can be clearer than that. Then again—'before she had this fit—' you never had fits, my dear, I think?" he said to the Queen.

"Never!" said the Queen, furiously, throwing an inkstand at the Lizard as she spoke. (The unfortunate little Bill had left off writing on his slate with one finger, as he found it made no mark; but he now hastily began again, using the ink, that was trickling down his face, as long as it lasted.)

"Se c'è uno di loro che riesce a spiegarla," disse Alice (era cresciuta tanto in quegli ultimi pochi minuti che non aveva nessuna paura a interromperlo), "gli do mezzo scellino. *Io* non credo che lì dentro ci sia un atomo di significato."

La giuria tutta si mise a scrivere sulle lavagnette, "*Lei* non crede che lì dentro ci sia un atomo di significato", ma nessuno dei giurati si provò a spiegare quel foglio.

"Se non c'è nessun significato," disse il Re, "questo, sapete, ci risparmia un mondo di guai, perché non abbiamo più bisogno di cercarne uno. Eppure non so," proseguì, stendendo quei versi sulle ginocchia e guardandoli con un occhio solo, "mi sembra dopo tutto che un significato ce lo vedo. '...*Avete detto che non so nuotare*...' Voi non sapete nuotare, vero?" aggiunse, rivolgendosi al Fante.

Il Fante scosse la testa tristemente. "Vi sembra che io possa nuotare?" disse. (La risposta era certamente *no*, dato che era fatto tutto di cartoncino.)

"Molto bene, per ora," disse il Re, e andò avanti a borbottare quei versi tra sé: "'*E – sappiam tutti – che così infatti è stato*' – questa è la giuria, naturalmente – '*ma se lei poi non si fosse fermata*' – questa dev'esser la Regina – '*cosa mai tu saresti diventato?*' – Giusto: che cosa? – '*Uno l'ho dato a lei, c'è chi ne ha dati due*' – be', questo è quello che ha fatto con le crostate, non vi pare?".

"Ma continua dicendo: '*da lui son tutte ritornate a te*'," disse Alice.

"Ma come: eccola!" disse il Re, con aria trionfale, puntando il dito verso la torta sulla tavola. "Non c'è niente di più chiaro di *questo*. E poi ancora: '...*prima dell'attacco che l'ha colta*...'. Ma voi non avete mai avuto attacchi, mia cara, non è vero?"

"Mai!" disse la Regina, tutta furiosa, scagliando un calamaio contro la Lucertola. (Il malcapitato piccolo Bill aveva smesso di scrivere sulla lavagnetta col dito, una volta scoperto che non lasciava traccia; ma ora ricominciò in tutta fretta, servendosi dell'inchiostro che gli colava giù per la faccia, perlomeno finché ce n'era.)

"Then the words don't fit *you*," said the King, looking round the court with a smile. There was a dead silence.

"It's a pun!" the King added in an angry tone, and everybody laughed.

"Let the jury consider their verdict," the King said, for about the twentieth time that day.

"No, no!" said the Queen. "Sentence first—verdict afterwards."

"Stuff and nonsense!" said Alice loudly. "The idea of having the sentence first!"

"Hold your tongue!" said the Queen, turning purple.

"I won't!" said Alice.

"Off with her head!" the Queen shouted at the top of her voice. Nobody moved.

"Who cares for you?" said Alice (she had grown to her full size by this time). "You're nothing but a pack of cards!"

At this the whole pack rose up into the air, and came flying down upon her; she gave a little scream, half of fright and half of anger, and tried to beat them off and found herself lying on the bank, with her head in the lap of her sister, who was gently brushing away some dead leaves that had fluttered down from the trees upon her face.

"Wake up, Alice dear!" said her sister. "Why, what a long sleep you've had!"

"Oh, I've had such a curious dream!" said Alice. And she told her sister, as well as she could remember them, all these strange Adventures of hers that you have just been reading about; and, when she had finished, her sister kissed her, and said, "It was a curious dream, dear, certainly; but now run in to your tea: it's getting late." So Alice got up and ran off, thinking while she ran, as well she might, what a wonderful dream it had been.

But her sister sat still just as she left her, leaning her head on her hand, watching the setting sun, and thinking of little Alice and all her wonderful Adventures, till she

"Quindi le parole non sono *attacchi* diretti a voi," disse il Re, con un sorriso, passando in rassegna tutta l'aula. Seguì un silenzio di morte.

"È un gioco di parole!" aggiunse il Re con tono offeso, e tutti risero. "Che la giuria pronunci il suo verdetto," disse il Re, per la ventesima volta, più o meno, in quel giorno.

"No, no!" disse la Regina. "Prima la sentenza – il verdetto poi."

"Che sciocchezza che non è altro!" disse Alice ad alta voce. "Bell'idea, leggere prima la sentenza!"

"Tu chiudi la bocca!" disse la Regina, facendosi di porpora.

"Neanche per sogno!" disse Alice.

"Tagliatele la testa!" gridò la Regina con quanto fiato aveva in gola. Nessuno si mosse.

"Chi vuole che le dia retta?" disse Alice (era ormai tornata alle sue dimensioni normali). "Non siete altro che un mazzo di carte!"

Al che tutto il mazzo si sollevò in aria, e venne giù in picchiata su di lei: Alice diede un piccolo grido, mezzo impaurito e mezzo adirato, e cercò di liberarsene, e si ritrovò sdraiata sull'argine, con la testa posata in grembo a sua sorella, che stava dolcemente spazzando via alcune foglie morte discese da un albero sulla sua faccia.

"Svegliati, Alice cara!" disse la sorella. "Diamine, che sonnellino lungo hai fatto!"

"Oh, ho fatto un sogno così strano!" disse Alice, e raccontò a sua sorella, per quanto riuscisse a ricordarle, tutte queste strane sue Avventure di cui avete appena finito di leggere; e una volta terminato, sua sorella le diede un bacio, e disse: "Un sogno strano davvero, cara; ma adesso corri in casa a prendere il the; si sta facendo tardi". Così Alice si alzò e corse via, e correndo, per quanto le era possibile, pensò a com'era stato meraviglioso quel sogno.

Ma sua sorella rimase lì seduta, come Alice l'aveva lasciata, con la testa appoggiata alla mano, a guardare il sole che tramontava e pensando alla piccola Alice e alle sue me-

*too began dreaming after a fashion, and this was her
dream:—*

*First, she dreamed about little Alice herself: once
again the tiny hands were clasped upon her knee, and the
bright eager eyes were looking up into hers—she could
hear the very tones of her voice, and see that queer little
toss of her head to keep back the wandering hair that
would always get into her eyes—and still as she listened,
or seemed to listen, the whole place around her became
alive with the strange creatures of her little sister's
dream.*

*The long grass rustled at her feet as the White
Rabbit hurried by—the frightened Mouse splashed his
way through the neighbouring pool—she could hear the
rattle of the teacups as the March Hare and his friends
shared their never-ending meal, and the shrill voice of
the Queen ordering off her unfortunate guests to
execution—once more the pig-baby was sneezing on the
Duchess's knee, while plates and dishes crashed around
it—once more the shriek of the Gryphon, the squeaking
of the Lizard's slate-pencil, and the choking of the
suppressed guinea-pigs, filled the air, mixed up with the
distant sob of the miserable Mock Turtle.*

*So she sat on, with closed eyes, and half believed
herself in Wonderland, though she knew she had but to
open them again, and all would change to dull
reality—the grass would be only rustling in the wind,
and the pool rippling to the waving of the reeds—the
rattling teacups would change to tinkling sheep-bells,
and the Queen's shrill cries to the voice of the shepherd
boy—and the sneeze of the baby, the shriek of the
Gryphon, and all the other queer noises, would change
(she knew) to the confused clamour of the busy
farm-yard—while the lowing of the cattle in the
distance would take the place of the Mock Turtle's
heavy sobs.*

Lastly, she pictured to herself how this same little

ravigliose Avventure, finché anche lei si mise a sognare un sogno tutto suo, che fu questo:

Anzitutto, sognò della piccola Alice stessa, e ancora una volta le manine di lei si intrecciavano sul suo ginocchio, e quegli occhi luminosi e curiosi guardavano dritti nei suoi – e sentiva tutti i toni della sua voce, e vedeva quel suo curioso movimento col capo, per scostare il ciuffo ribelle che le scendeva sempre sugli occhi – e ancora mentre stava in ascolto, o sembrava stare in ascolto, tutto il posto intorno a lei si animò delle strane creature del sogno della sua sorellina.

Sentì frusciare l'erba alta ai suoi piedi al passaggio affrettato del Coniglio Bianco – e vide il Topo farsi strada sguazzando nello stagno lì accanto – e udì il tintinnio delle tazze da the del pranzo senza fine della Lepre Marzolina e dei suoi amici, e la voce stridula della Regina che ordinava di tagliare la testa ai suoi malcapitati ospiti – e ancora una volta il baby-porcellino che starnutiva in braccio alla Duchessa, mentre piatti e stoviglie andavano in pezzi tutto attorno – e ancora una volta lo shriek del Grifone, e lo squiik del gessetto della Lucertola, e il ciok dei porcellini d'India "stroncati", che riempivano l'aria, confusi con i lontani pesanti singhiozzi della povera e infelice Finta Tartaruga.

Così se ne rimase lì seduta, con gli occhi chiusi, quasi quasi pensando d'essere ancora nel Paese delle Meraviglie, sebbene sapesse bene che bastava riaprirli, e tutto si sarebbe mutato in una pallida realtà – l'erba avrebbe soltanto frusciato al vento, lo stagno si sarebbe increspato per l'ondeggiare dei giunchi – il tintinnare delle tazze da the si sarebbe trasformato nello scampanellio delle pecore, e gli strilli della Regina nei richiami di un pastorello – e gli starnuti del poppante, il grido del Grifone e tutti gli altri strani versi si sarebbero fusi (questo lo sapeva) nel confuso e animato rumore della fattoria – mentre il muggito di una mandria in lontananza avrebbe presto preso il posto dei pesanti singhiozzi della Finta Tartaruga.

E alla fine, cercò di immaginarsi come quella sua sorel-

sister of hers would, in the after-time, be herself a grown woman; and how she would keep, through all her riper years, the simple and loving heart of her childhood; and how she would gather about her other little children, and make their eyes bright and eager with many a strange tale, perhaps even with the dream of Wonderland of long ago; and how she would feel with all their simple sorrows, and find a pleasure in all their simple joys, remembering her own child-life, and the happy summer days.

lina, a tempo debito, si sarebbe fatta donna anche lei; e se avrebbe mantenuto, nel corso dei suoi anni più maturi, il semplice e amabile cuore della sua infanzia; e come le si sarebbero raccolti attorno i suoi bambini, e lei avrebbe riempito i loro occhi di luce e di curiosità con tante strane storie, forse anche con il sogno di un Paese delle Meraviglie di tanto tempo prima: e come avrebbe fatto con i loro infantili dispiaceri, e trovar di che gioire delle loro infantili allegrie, ricordando la sua stessa vita di bambina, e quei giorni felici d'estate.

Note al testo

[1] Nell'originale la poesiola è "Doth the Little Crocodile"; è la parodia della poesia moraleggiantesca *Contro la pigrizia e l'inganno* di Isaac Watts, che comincia con "How doth the little busy bee" ("Cosa fa la piccola ape industriosa") dove l'ape è assunta come modello di laboriosità. Qui si è cercato un analogo di immediata comprensione con la celeberrima *Farfalletta* di Luigi Sailer (1825-1885), meglio conosciuta come "La vispa Teresa" e scritta forse nel 1859, coeva dunque di Alice e delle sue avventure.

[2] Un classico e famoso esempio di poesia visiva, che Carroll già aveva sperimentato in uno scritto giovanile, e che qui riutilizza, giustificandola grazie alla omofonia tra *tale* (favola) e *tail* (coda).

[3] Deformazione sarcastica di una poesia moraleggiante di Robert Southey del 1799, che esortava a pensare alla vecchiaia fin dalla prima giovinezza. L'originale, non deformato, aveva – nella traduzione di Aldo Busi (Feltrinelli, Milano 1993) – questo tono: " 'Caro vecchio buon papà,' /gridò il giovane,/ 'tramontano i piaceri con l'età, / ma non ti sento mai rimpiangere il passato:/ qual è la causa di sì lieto cor?'/ 'Ai miei tempi,' rispose il vecchio padre, / 'sapevo che fugace è gioventù; / io pensavo al futuro in ogni cosa / per non pentirmi poi di ciò che fu'".

[4] Un *Dizionario della lingua volgare* del 1788 riporta l'espressione "ghignare come un gatto del Cheshire", che Carroll ha ereditato e che qui usa, senza che dell'espressione si sappia peraltro l'esatto senso.

[5] Parodia di una poesiola di incerta attribuzione, presto scomparsa dall'uso, che invita mamme e nutrici a mielose dolcezze nei riguardi dei pargoli. Calza abbastanza bene, in italiano, la deformazione parodistica di *Fate la nanna coscine di pollo*, ninnananna popolare di delicata poesia, che non meriterebbe la presa in giro.

[6] Piccola presa in giro di una ninnananna di Jane Taylor (1806), notissima anche ai giorni nostri, e non solo in Inghilterra, e che trova un buon equivalente nella nostra *Stella, stellina*, delicata filastrocca ninnananna di Lina Schwarz (1876-1947); che va ricordata, oltre che per le raccolte di deliziose poesie per bambini, per il suo impegno sociale, per gli studi pedagogici, e per aver fondato insieme a Lavinia Mondolfo la

scuola steineriana di Milano. Naturalmente, anche in questo caso *Stella, stellina* non meriterebbe presa in giro di sorta.

[7] La canzone è una libera parodia di una moraleggiante filastrocca di Mary Howitt, *La mosca e il ragno* (1834): il ragno invita a cena la mosca incuriosendola con il miraggio di una collezione di farfalle; la mosca acconsente e finisce col far da cena al ragno. Morale, per le fanciulle: guardarsi dalla curiosità, e dai collezionisti.

[8] Parodia di un componimento pedagogico del già citato Isaac Watts (*The Sluggard*. In italiano *Il fannullone*, o anche – più popolare – "Il Michelasso / che mangia, beve e che va a spasso"; oppure – più popolare ancora – "che mangia, beve e non fa un casso").

[9] Parole sulla falsariga di *Star of the Evening* di James M. Sayles, che Carroll avrebbe sentito cantare nel 1862, dopo la famosa gita in barca, dalle sorelline Liddell.

[10] Versi di una poesiola infantile che Carroll riporta qui di peso, senza alterazioni.

[11] Versi ispirati e in parte ricalcati – che Carroll scrisse nel 1855 – su una popolare canzone dell'epoca, *Alice Gray*, parole di William Mee, musica di certa P. Millard, non altrimenti nota.

Cenni biografici

1832
Charles Lutwidge Dodgson, noto poi col *nom de plume* di Lewis
Carroll, nasce il 27 gennaio, a Daresbury (Cheshire), nel Nord-est
dell'Inghilterra, da famiglia borghese di origine irlandese. È il
primo maschio di undici fratelli (quattro maschi e sette femmine), figli di un pastore protestante, di simpatie peraltro anglocat-
toliche.

1843
La famiglia Dodgson si trasferisce nello Yorkshire. Charles riceve
una prima educazione privata, con un precettore, manifestando
un precocissimo talento sia nelle scienze matematiche sia in letteratura. L'anno seguente frequenta una scuola privata a Rich-
mond.

1846-1851
Studente alla Rugby School e poi a Oxford, al Christ Church College, diretto da suo padre; prende a pubblicare su una rivista locale e casalinga – "Rectory magazine" – novelle e disegni che lo
mettono presto in luce. Nel 1851 sua madre (Frances Jane
Lutwidge) muore improvvisamente per un ictus o una forma di
meningite. A Oxford soffre di "disturbi notturni", di natura non
precisata, ma forse a sfondo sessuale.

1855
Henry Liddell diventa direttore del Christ Church College di
Oxford, Carroll diventa intimo della famiglia Liddell e conosce
– l'anno seguente – la piccola Alice e le sue sorelle.

1856

Comincia a interessarsi di fotografia. E adotta per la prima volta il nome di Lewis Carroll, per una poesia di sapore romantico – *Solitudine* – nella rivistina "The Train".

1858-1861

Pubblica senza firmarlo il suo primo studio scientifico: *Il quinto libro di Euclide analizzato algebricamente* (1858), e poi – con il suo nome anagrafico – *Sillabo di geometria piana algebrica, Note sui primi due libri di Euclide* (ambedue nel 1860) e *Le formule della trigonometria piana* (1861).

1861

Onde conservare il posto di insegnante nella scuola, Carroll prende gli ordini di diaconato, ma rifiuta di intraprendere la carriera ecclesiastica che Liddell gli propone.

1862

Il 4 luglio ha luogo una gita in barca sul Tamigi, che Carroll compie con l'amico reverendo Robinson Duckworth e le tre bambinette Liddell: Lorina, Alice e Edith, rispettivamente di tredici, dieci e otto anni. È durante il tragitto di circa otto chilometri, da Folly Bridge (Oxford) al villaggio di Godstow, che Carroll improvvisa i primi quattro capitoli di una storia che ha per protagonista una Alice e per luogo d'azione un "paese delle meraviglie".

1865

Vengono pubblicate, con le illustrazioni – ben presto "classiche" – di John Tenniel (1820-1914) – *Le avventure di Alice nel Paese delle Meraviglie*, poi accorciato in *Alice nel Paese delle Meraviglie*: è un ampliamento dell'improvvisato racconto originario, con l'aggiunta di personaggi ed episodi nella forma in cui lo conosciamo. L'editore è Macmillan di Londra, e la pubblicazione è a spese dell'autore, che mantiene però i diritti sull'opera. Insoddisfatto della stampa delle illustrazioni, Carroll ritira la tiratura e l'opera verrà ripubblicata prima della fine dell'anno.

1868

Muore il padre, Charles Dogdson. Esce *Il quinto libro di Euclide*. Lewis Carroll si trasferisce a Guilford, nel Surrey, nella sua casa "Il castagno".

1869

Carroll pubblica *Phantasmagoria e altre poesie*, ove il primo poemetto ha per protagonista un fantasma che assilla la mente di un poeta. La raccolta è considerata un preludio alla *Caccia dello snualo* (*The Hunting of the Snark*).

1871

Esce prima di Natale (ma la copertina reca la data 1872) *Attraverso lo specchio e quel che Alice vi trovò*, cui Carroll ha lavorato fin dal 1869. È un "seguito" di *Alice nel paese delle meraviglie*, ancora illustrato da John Tenniel, e il suo successo – con le novemila copie della prima tiratura e il traguardo di sessantunmila copie nel 1897 – fu di poco inferiore al suo precedente.

1872-1876

Escono, anonimi, vari libelli contro Henry Liddell, il decano del Christ Church College, padre di Alice: la ragione ufficiale è nel dissidio su regole e metodi applicati da Liddell al collegio, la ragione vera è forse (o anche) un'altra.

1876

Viene pubblicata *La caccia dello snualo*: bizzarro poema in otto colpi (*fits*) considerato un capolavoro del "nonsense", che narra una storia totalmente disossata in cui otto personaggi salpano alla ricerca di uno "snualo" (invenzione da "squalo", come – nell'originale – "snark" in luogo di "shark") che solo uno di essi avvicinerà in sogno.

1880

Lascia la fotografia, causa l'innovativa introduzione della pellicola in sostituzione della vecchia lastra. Il progresso tecnico non gli compensa il venir meno del rituale con cui egli preparava i suoi "disegni con la luce". Ha comunque al suo attivo tremila foto, la maggior parte delle quali vengono "restituite" alle piccole modelle o distrutte.

1881-1887

Nel 1881 lascia – senza alcun visibile rimpianto – l'insegnamento. Al quale tornerà solo eccezionalmente, nel 1886, per un corso di logica in una scuola femminile; esperienza da cui nascerà – nel 1887 – *Il gioco della logica*.

1889

Esce il primo volume di un bizzarro e complicato romanzo – *Sylvie e Bruno* – cui si sta dedicando con grande impegno: è la fusione in un racconto parallelo di due storie di opposto sapore: una rigorosamente realistica, l'altra tutta immaginaria e surreale.

1893

Esce il secondo e conclusivo volume di *Sylvie e Bruno*, che non ottiene però particolare successo né suscita particolare interesse.

1894

Scrive *Quel che disse la tartaruga ad Achille* e *La logica simbolica*, ultimo suo lavoro sull'argomento.

1898

Il 14 gennaio Charles Lutwidge Dodgson muore a Guilford, nella sua villa "Il castagno", a seguito di una polmonite. Viene sepolto nel cimitero locale, dove già riposano un suo fratello e cinque sorelle. La pietra tombale è sormontata da una semplicissima croce di pietra grigia, con la scritta "Where I am there shall also my servant be" (Dove io sono vi sarà anche il mio servo), e sul basamento il suo nome: "Rev. Charles Lutwidge Dodgson (Lewis Carroll) si è addormentato il 14 gennaio del 1898, all'età di 65 anni".

Bibliografia essenziale

Opere di Lewis Carroll

The Works of Lewis Carroll, a cura di R. Lancelyn Green, London (Harmondsworth) 1965.

The Penguin Complete Lewis Carroll, a cura e con prefazione di A. Woolcott, London (Harmondsworth) 1982.

Edward Wakeling, *Lewis Carroll's Diaries (10 vols)*, Luton 1993-2007.

Biografie

Stuart Dodgson Collingwood, *The Life and Letters of Lewis Carroll (Rev. C.L. Dodgson)*, London 1898. (Scritta nel 1898 dal figlio di una sorella di Carroll, anch'egli B.A. presso il Christ Church College di Oxford.)

Langford Reed, *The Life of Lewis Carroll*, London 1932.

Anne Clark, *Lewis Carroll, a Biography*, London 1979.

Ma segnalerei anche il sito http://carrollmyth.com/lennon.html, per una originale rassegna annotata di biografie di Lewis Carroll nel Novecento.

Alice nel paese delle meraviglie

Martin Gardner, *The Annotated Alice*, New York 1960, oggi nei Penguin; tr. it. di Masolino D'Amico, *Alice*, Milano 1971.

Aspects of Alice. Lewis Carroll's Dreamchild seen through the Cri-

tics *Looking-Glass*, a cura di R. Philips, Harmondsworth 1974. (Dove *"the looking-glass"* – sia ben chiaro – non è quello di Alice ma dei vari critici che la osservano. Tra i contributori, Auden e Priestley.)

Milli Graffi, *Prefazione*, in Lewis Carroll, *Alice nel paese delle meraviglie e Attraverso lo specchio*, Milano 1989.

Michael O'Connor, *All in the Golden Afternoon: The Origins of Alice's Adventures in Wonderland*, Anchorage 2012.

Varie

Le bambine di Carroll, Foto e lettere di Lewis Carroll a Mary, Alice, Irene, Agnese..., a cura di Guido Almansi, Franco Maria Ricci Editore, Parma 1974.

Lewis Carroll, fotografo vittoriano, a cura e con introduzione di H. Gersheim, Milano 1980.

Lewis Carroll: A Celebration, Essays in the 150th Anniversary of the Birth of Charles Lutwidge Dodgson, a cura di Edward Guiliano, New York 1982 (con vari contributori, tra i quali Milli Graffi).

Francine F. Abeles, *The Political Pamphlets and Letters of Charles Lutwidge Dodgson and Related Pieces: A Mathematical Approach*, University of Virginia, 2001.

Roger Taylor, *Lewis Carroll, Photographer*, Princeton University Press, 2002.

Francine F. Abeles, *The Logic Pamphlets of Charles Lutwidge Dodgson*, University of Virginia, 2010.

Siti internet

www.lewiscarroll-site.com
www.lewiscarrollsociety.org.uk

Indice